D1240854

VOTRE AUTOÉVALUATION PSYCHOLOGIQUE

Louis Janda, Ph.D.

VOTRE AUTOÉVALUATION
PSYCHOLOGIQUE

25 tests sur l'amour, la sexualité,
l'intelligence, le travail et la personnalité

*Traduit de l'anglais
par Pierre DesRuisseaux*

FIDES

Données de catalogage avant publication (Canada)

Janda, Louis

Votre autoévaluation psychologique : 25 tests sur l'amour,
la sexualité, l'intelligence, le travail et la personnalité

Traduction de : The Psychologist's book of self-tests.

ISBN 2-7621-2102-7

1. Personnalité - Tests.
2. Intelligence - Tests.
3. Amour - Tests.
4. Sexualité (Psychologie) - Tests.
5. Travail - Aspect psychologique - Tests.
6. Relations humaines - Tests.

I. Titre.

BF698.5.J3714 2000   153.9'3   C00-940236-5

Dépôt légal : 1ᵉʳ trimestre 2000
Bibliothèque nationale du Québec

Titre original: *The Psychologist's Book of Self-Tests. 25 Love, Sex, Intelligence,
Career & Personality Tests Developed by Professionals to Reveal the Real You*
Publié en accord avec Perigee Books, The Berkley Publishing Group,
une filiale de Penguin Putnam Inc., New York.

© Louis Janda, 1996
© Éditions Fides, 2000, pour la traduction française

Les Éditions Fides remercient le ministère du Patrimoine canadien du soutien qui
leur est accordé dans le cadre du Programme d'aide au développement de l'industrie
de l'édition. Les Éditions Fides remercient également le Conseil des Arts du Canada
et la Société de développement des entreprises culturelles du Québec (SODEC).

IMPRIMÉ AU CANADA

À mon fils Christopher
que j'aime affectueusement
et qui m'a testé durant les vingt dernières années.

INTRODUCTION

Combien d'adjectifs devriez-vous utiliser pour vous décrire adéquatement? Si vous ressemblez à la plupart des gens, vous devriez être capable d'en énoncer une demi-douzaine sans grande difficulté. Si l'on vous interrogeait sur certains aspects de votre vie, vous pourriez sans doute en ajouter une autre demi-douzaine, peut-être une douzaine si vous êtes particulièrement introspectif. Quinze ou vingt traits individuels devraient suffire à décrire complètement n'importe qui, pas vrai?

La réponse est un non catégorique si l'on se fie à la connaissance de l'ensemble des psychologues qui ont abordé ce sujet au cours du dernier siècle. En fait, nous, les psychologues, n'avons même pas pu commencer à nous entendre sur le nombre de caractéristiques individuelles dont on devrait tenir compte pour décrire entièrement un individu. Mais nous nous sommes empressés de concevoir des tests psychologiques pour mesurer tous les traits de caractère que vous puissiez imaginer, et certains que vous n'avez sans doute jamais imaginés. Je ne peux faire mieux que de vous donner une idée approximative de la quantité de tests psychologiques qui ont été élaborés, mais ils se chiffrent aux environs de 7000. Un texte de consultation publié en 1983 décrit plus de 3500 tests[1]. Un autre texte datant de 1985 et décrivant des tests non publiés et des échelles de personnalité fournit des renseignements sur près de 2500 tests. Il serait raisonnable d'ajouter à ces deux listes un millier de tests conçus au cours de la dernière décennie. Et n'oubliez pas que plusieurs de ces tests mesurent jusqu'à une douzaine de traits de caractère à la fois.

Cela ne veut pas dire, bien sûr, que vous devrez subir 6000 tests psychologiques pour réussir à avoir un portrait complet de votre fonctionnement mental. Le nombre de redondances est presque invraisemblable. Il existe sans doute plus d'une centaine de tests psychologiques et bien au-delà de cent tests d'anxiété. En outre, plusieurs de ces tests mesurent des aspects obscurs et sans importance qui ne peuvent intéresser que des psychologues. Devriez-vous vraiment connaître, par exemple, votre marque normalisée relativement à votre attitude face aux enseignantes universitaires ?

Quoique certains tests existants paraissent tellement dénués de sens que l'on se demande comment quelqu'un a pu perdre son temps à les concevoir, une majorité d'entre eux aborde des questions sérieuses, et ont pour but soit d'aider les gens à améliorer leur vie, soit de révéler davantage notre comportement en tant qu'êtres humains. Par exemple, la myriade de tests d'aptitude disponibles peut

---

1. Les psychologues utilisent indifféremment les termes « test », « échelle », « instrument », « enquête » et « barème ».

aider à déterminer les aptitudes de quelqu'un à suivre un programme d'études ou à se diriger vers une carrière donnée. Des thérapeutes font souvent passer des tests cliniques à leurs patients pour définir le traitement le plus adéquat. Des chercheurs dans le domaine de la personnalité ont conçu des tests qui nous permettent de réfléchir sur notre comportement dans des situations quotidiennes et, conséquemment, nous offrent la possibilité de modifier nos réactions afin d'accéder à une vie mieux remplie et plus heureuse. Les tests ne sont pas toujours utilisés de la manière la plus adéquate, mais je crois sincèrement qu'ils constituent une des contributions les plus importantes, voire la plus importante contribution des psychologues à la société. Les tests peuvent vraiment améliorer notre qualité de vie et rendre la société meilleure. En rédigeant ce livre, j'ai voulu en faire bénéficier un public plus large ne pouvant habituellement pas avoir accès aux tests psychologiques. J'aurai atteint mon but si, après avoir complété les tests du présent livre, vous sentez que vous avez appris des choses importantes sur vous-même. J'espère aussi que vous aurez apprécié l'exercice. La découverte de soi peut être agréable.

Quelques mots à propos des tests contenus dans ce livre

Deux raisons fondamentales poussent les psychologues à prendre la peine de concevoir des tests psychologiques. D'abord, il y a un besoin à combler dans le monde de la médecine, des affaires, de l'éducation ou de toute autre institution faisant usage de tests. Peut-être un besoin n'a-t-il pas été comblé précédemment, et le nouveau test aura alors un caractère innovateur. Ou alors le besoin peut avoir été comblé par un test existant, mais pas aussi bien qu'il aurait pu l'être. Une version nouvelle et améliorée peut devoir être nécessaire. Si les psychologues réussissent à imposer un nouveau test, il sera breveté et vendu à ceux à qui il pourra être utile. Ce serait un manque d'éthique de ma part de reproduire ces tests, même si j'obtenais l'autorisation de l'éditeur. Vous pourriez peut-être devoir passer un de ces tests un jour que vous solliciterez un emploi ou que vous irez consulter un spécialiste pour un problème personnel, et si vous en connaissez les réponses, cela pourrait fausser les résultats.

Mais nombre de tests ayant été développés dans ce but ne sont jamais brevetés. Ça ne veut pas nécessairement dire qu'ils n'ont pas été bien conçus. Les concepteurs de tests sont confrontés aux mêmes écueils que n'importe quels autres créateurs. Peut-être que l'éditeur n'a pas prévu un assez large bassin d'utilisateurs pour le nouveau test. Peut-être que ce dernier a été perçu comme trop identique à un test existant. Ou, quoiqu'il puisse innover par rapport à un test existant, il n'a pas été perçu comme assez original pour concurrencer avec succès des tests établis et plus anciens. Somme toute, il existe plusieurs excellents tests qui n'ont jamais pu être commercialisés et qui se trouvent confinés dans des publications scientifiques ou le tiroir d'un psychologue. Certains des tests présentés ici proviennent de cette catégorie.

La deuxième raison la plus importante qui pousse à créer des tests est pour appuyer la recherche sur les aptitudes et la personnalité humaine. Imaginez qu'un chercheur veuille en apprendre plus sur l'estime de soi. La première étape consistera à mesurer cette caractéristique chez les hommes et les femmes qui serviront de cobayes. Et pour la mesurer, vous devrez utiliser un test. Plus tard, un autre chercheur pourra mettre de l'avant une théorie légèrement différente à propos de l'estime de soi, de sorte qu'un test légèrement différent devra être élaboré. Il en découle qu'il existe des douzaines de tests d'estime de soi offerts dans la documentation psychologique, chacun mesurant cette variable de la personnalité selon un point de vue légèrement différent, tandis que tous cherchent essentiellement à quantifier le même élément. Le désir d'en apprendre plus sur le comportement humain a inspiré la conception de milliers de tests psychologiques.

Nombre de ces tests sont utilisés quelques fois et sont rapidement oubliés, mais plusieurs autres peuvent trouver usage dans des centaines d'études. Cela peut vouloir dire que nous pouvons tirer plus de renseignements d'un test qui n'était aucunement destiné à la publication ou à la vente que de certains tests commerciaux d'usage courant. Il existe plusieurs excellents tests totalement ignorés du public sauf par celui qui suit un cours d'introduction à la psychologie ou participe à une expérience dans le cadre d'un tel cours. Une majorité des tests présentés dans ce livre font partie de ceux-là.

Tous les tests figurant ici constituent de véritables contrôles psychologiques. Cela signifie que des principes établis d'élaboration de tests ont présidé à leur conception, et que des renseignements permettent d'établir des comparaisons avec d'autres tests. Plusieurs des tests que l'on voit dans les revues populaires ne sont nullement des tests, du moins dans le sens technique du terme. Ils ne sont qu'une série de questions imaginées par quelqu'un qui pourrait ou non avoir des connaissances dans le domaine. Et habituellement, les indications permettant d'interpréter votre résultat ne sont rien de plus que des considérations de l'auteur sur « ce qui devrait être » plutôt que sur « ce qui est vraiment ». Les indications que vous trouverez ici et qui visent à interpréter vos résultats sont, dans presque tous les cas, fondées sur les réponses de centaines d'hommes et de femmes. Quand vous aurez complété l'un de ces tests, vous aurez une bonne idée de la façon dont vous vous comparez à d'autres gens, car les indications sont issues de résultats empiriques. Ils reflètent davantage que mon opinion ou l'opinion de l'auteur d'un test donné.

Comment utiliser ce livre

Dans ce livre, j'ai incorporé vingt-cinq tests, regroupés en cinq parties. La première partie, intitulée *Aller de l'avant*, présente des tests reliés à la réussite dans vos entreprises scolaires ou votre carrière. La deuxième partie, intitulée *Savoir s'organiser*, présente des tests qui concernent plus spécifiquement l'adaptation psychologique et la santé mentale. La troisième partie, *Vivre en société* vous fournira des renseignements qui pourront vous aider à améliorer les relations avec vos connaissances et amis. *Vivre à deux*, la quatrième partie, propose des tests abordant divers aspects de vos relations amoureuses. Pour cette partie, et la suivante, vous voudrez peut-être que votre conjoint passe le test avec vous afin que vous puissiez comparer vos réponses réciproques. La dernière partie, *Vivre sa sexualité*, traite de votre sexualité. Vous n'êtes pas obligé de suivre l'ordre du livre. Vous pouvez aborder les parties selon vos intérêts et vos besoins. Vous n'avez pas non plus à passer les tests contenus dans les diverses parties dans l'ordre où je les ai présentés. Certains tests entretiennent plus de liens de corrélation que d'autres mais, en substance, ils sont tous indépendants les uns des autres.

Deux critères m'ont guidé dans le choix des tests : qu'ils traitent d'une caractéristique humaine importante et qu'il soit agréable de les passer et d'y réfléchir avec les résultats en main. À la suite des tests mesurant des paramètres qui peuvent avoir une incidence sur votre capacité à jouir de la vie, j'ai joint quelques réflexions concernant la manière d'amorcer des changements. À la lecture de ce livre, j'espère que vous apprendrez quelque chose de la psychologie et du comportement humain et que vous serez en mesure de mieux vous connaître.

Quelques mots à propos des normes

Passons maintenant à une petite leçon de statistique. Les psychologues qui conçoivent de vrais tests psychologiques amassent des données à partir d'un large échantillonnage de réponses d'hommes et de femmes de manière à ce que ceux qui auront à subir les tests puissent évaluer leur rendement les uns par rapport aux autres. Ce groupe original d'hommes et de femmes, que l'on appelle un échantillonnage de normalisation, fournit les renseignements qui permettent de concevoir les normes. De telle sorte que les normes ne sont rien de moins qu'un résumé des résultats d'un vaste bassin d'hommes et de femmes qui vous permet d'opérer une comparaison — une comparaison entre votre résultat et celui de l'échantillonnage de normalisation.

Il y a plusieurs manières de rendre compte des normes, et j'ai choisi pour vous la plus simple et la plus directe : le pourcentage. Je suis sûr que vous vous souvenez des notes d'examens que vous avez passés à l'école. Mais permettez-moi quand même de vous rafraîchir la mémoire. Un pourcentage vous dit comment vous vous comparez à un échantillonnage de normalisation et, par extension, au reste de la société. Ainsi, lorsque vous obtenez un pourcentage de 15, cela signifie que votre résultat est égal ou supérieur aux notes de 15 pour cent des gens qui ont subi le test. Plus votre pourcentage est élevé, meilleure est votre position dans l'échelle du rendement par rapport à ceux qui ont subi le test. J'ai arrêté cinq points de référence que vous pourrez utiliser pour interpréter vos résultats : 15, 30, 50, 70 et 85 pour cent. Cela vous permettra de déterminer si votre note est moyenne, légèrement supérieure ou inférieure, ou très supérieure ou inférieure à la moyenne. Cette méthode devrait vous fournir suffisamment de renseignements pour vous donner une idée de vos forces et de vos faiblesses.

Comme je l'ai dit plus haut, plusieurs des tests présentés dans ce livre ont été conçus par des psychologues qui font de la recherche dans le but de mieux cerner la personnalité humaine. Comme ces psychologues travaillent habituellement dans des universités, ils utilisent des sujets qui sont à la portée de la main, nommément des étudiants. En conséquence, plusieurs des normes utilisées ici s'inspirent des réponses de jeunes adultes. Si vous êtes beaucoup plus âgé que l'étudiant moyen, cela pourrait influer sur l'interprétation de vos notes. Je vous rappellerai ce détail quand il pourra avoir une incidence sur la signification du résultat de votre test.

Un mot d'avertissement

J'aimerais que vous patientiez encore un moment avant de commencer la lecture. Tous les tests présentés dans ce livre ont été conçus pour une population de gens normaux. Ils n'ont pas été conçus pour détecter les cas extrêmes ou de graves pathologies. Vous vous réjouirez peut-être des résultats de certains tests tandis que d'autres pourront vous démoraliser. Mais dans tous les cas, ces résultats ne voudront pas dire que vous êtes dénué de tout défaut ou que vous devez vous précipiter vers l'hôpital psychiatrique le plus près. Tenez compte des données de chacun des tests selon l'objectif pour lequel il a été conçu, soit comme un instrument de découverte de soi et un outil de comparaison avec d'autres personnes. Cet ouvrage n'a pas été conçu pour se substituer à l'évaluation d'un professionnel de la santé, et vous ne devriez pas le percevoir comme tel. Il peut vous fournir une idée de vos points forts et vous indiquer des voies dans votre quête vers la réalisation personnelle.

Assez parlé, il est maintenant temps de commencer. Soyez franc avec vous-même, gardez l'esprit ouvert et, par-dessus tout, amusez-vous !

Note : Dans cet ouvrage, la forme masculine a été privilégiée pour désigner les personnes afin de ne pas alourdir le texte.

PREMIÈRE PARTIE

ALLER DE L'AVANT

Cette section mesure vos aptitudes et les caractéristiques dont vous avez besoin pour réussir dans vos études ou votre carrière. Après avoir complété les tests contenus dans cette section, vous connaîtrez :

- Votre degré d'intelligence.
- Votre peur de la réussite.
- Votre capacité à trouver l'emploi qui vous convient.
- Votre aptitude à accepter la réussite.
- Votre aptitude à passer des tests.

QUEL EST VOTRE DEGRÉ D'INTELLIGENCE ?

LE TEST DES APTITUDES MENTALES GÉNÉRALES

INSTRUCTIONS : Le test suivant renferme cinq sections, chacune d'elles comprenant des questions à choix multiples. Vous pouvez prendre autant de temps que vous désirez pour répondre aux questions.

Analogies

Parmi les éléments suivants, choisissez celui qui termine le mieux la phrase.

1. Insuffisant est à déficient ce que calme est à ____.
   a. serein
   b. lunatique
   c. frivole
   d. désinvolte

2. Renoncer est à accepter ce qu'imparfait est à ____.
   a. défectueux
   b. déficient
   c. parfait
   d. sommaire

3. Manque est à surplus ce que renoncer est à _____.
   a. abjurer
   b. accepter
   c. répudier
   d. abdiquer

4. Établir est à apprendre ce qu'insignifiant est à _____.
   a. trivial
   b. magnanime
   c. significatif
   d. substantiel

5. Essentiel est à fondamental ce qu'endosser est à _____.
   a. sanctionner
   b. condamner
   c. dénoncer
   d. blâmer

6. Exil est à exclure ce qu'éthique est à _____.
   a. immoral
   b. honorable
   c. dépravé
   d. lubrique

7. Oppression est à justice ce qu'obtenir est à _____.
   a. renoncer
   b. acheter
   c. se procurer
   d. acquérir

8. Pur est à opaque ce que parallèle est à _____.
   a. analogue
   b. coïncident
   c. divergent
   d. similaire

9. Remettre est à retenir ce que méchant est à ____.
   a. repoussant
   b. odieux
   c. bestial
   d. charmant

10. Chauve-souris est à humain ce que baleine est à ____.
    a. grenouille
    b. ours
    c. oiseau
    d. carpe

11. Effacer est à oblitérer ce que général est à ____.
    a. inexact
    b. exact
    c. disparu
    d. spécifique

12. Grand est à infime ce que pacifique est à ____.
    a. belliqueux
    b. alcyon
    c. paisible
    d. placide

Vocabulaire

Chaque mot en lettres majuscules est suivi de quatre mots. Choisissez le mot dont le sens est le plus près du mot en majuscules.

13. MEUBLE
    a. bureau
    b. fédéral
    c. ouvert
    d. tiroir

14. OBSTACLE
    a. empêchement
    b. barrière
    c. verge
    d. entrée

15. CONTENT
    a. forme
    b. entraver
    c. satisfait
    d. épouvanté

16. ABDIQUER
    a. apaiser
    b. suggérer
    c. dicter
    d. démissionner

17. LOQUACE
    a. parcimonieux
    b. courageux
    c. verbeux
    d. prudent

18. LITURGIE
    a. livide
    b. fâché
    c. rituel
    d. gâté

19. PASTORAL
    a. religieux
    b. paître
    c. négliger
    d. paisible

20. SE MORFONDRE
    a. stupide
    b. relâcher
    c. propre
    d. apathique

21. LACONIQUE
    a. concis
    b. intelligent
    c. coloré
    d. bas

22. PERFIDE
    a. traître
    b. effrayant
    c. trompeur
    d. bête

23. SCÉLÉRAT
    a. vaurien
    b. incorrect
    c. incompétence
    d. fortuit

24. OSTENTATOIRE
    a. généreux
    b. brillant
    c. pécuniaire
    d. prétentieux

Connaissances générales

25. Quel est le premier mois de l'année comptant exactement 30 jours?
   a. janvier
   b. février
   c. mars
   d. avril

26. Quelle planète possède l'année la plus courte?
   a. Terre
   b. Pluton
   c. Mercure
   d. Uranus

27. Quelle est la capitale nationale la plus nordique?
   a. Stockholm
   b. Londres
   c. Reykjavik
   d. Oslo

28. À un jour près, combien de temps faut-il à la lune pour faire le tour de la terre?
   a. 1 jour
   b. 27 jours
   c. 30 jours
   d. 365 jours

29. Quel est l'équivalent en degrés Fahrenheit de 0 degré Celsius?
   a. − 32 degrés
   b. 0 degré
   c. 32 degrés
   d. 212 degrés

30. Combien de dimensions un solide possède-t-il?
    a. une
    b. deux
    c. trois
    d. quatre

31. Qui a écrit *Maria Chapdelaine*?
    a. Michel Tremblay
    b. Anne Hébert
    c. Félix-Antoine Savard
    d. Louis Hémon

32. En quel mois se trouve le jour de la marmotte?
    a. janvier
    b. février
    c. mars
    d. mai

33. Quelle est la «ville aux cent clochers»?
    a. Chicoutimi
    b. Québec
    c. Montréal
    d. Sherbrooke

34. Combien de milles y a-t-il dans un kilomètre?
    a. 0,4
    b. 0,6
    c. 1
    d. 1,6

35. Au base-ball, qui détient le record de coups de circuit en carrière?
    a. Babe Ruth
    b. Lou Gehrig
    c. Mickey Mantle
    d. Hank Aaron

36. Quel est le protagoniste abhorré du célèbre roman de Claude-Henri Grignon, *Un homme et son péché*?
    a. Maria Chapdelaine
    b. Séraphin Poudrier
    c. Jean Rivard
    d. Eucahriste Moisan

Aptitudes mathématiques

Pour chacun des éléments suivants, choisissez la bonne réponse. Vous pouvez faire un brouillon.

37. Si $2x + y = 5$, alors $6x + 3y = ?$
    a. 2/5
    b. 3/9
    c. 15
    d. 18

38. Un côté d'un rectangle mesure 3 mètres et la diagonale mesure 5 mètres. Quelle est la surface?
    a. 6
    b. 7.5
    c. 12
    d. 15

39. Le mélange du randonneur de Rosanne renferme 6 grammes de friandises M & M pour 9 grammes de Kisses de Hershey. Combien de grammes de M & M sont nécessaires pour 75 grammes de mélange du randonneur?
    a. 25
    b. 30
    c. 32.5
    d. 36

40. La diagonale d'un rectangle mesure 5 mètres, et un côté mesure 4 mètres. Combien mesure le périmètre?
   a. 12 mètres
   b. 14 mètres
   c. 16 mètres
   d. 18 mètres

41. Un club de 60 personnes compte 36 hommes. Quel est le pourcentage de femmes dans le club?
   a. 20 pour cent
   b. 24 pour cent
   c. 40 pour cent
   d. 48 pour cent

42. La moyenne de 3 nombres à un chiffre est 7. Le plus petit chiffre pouvant constituer l'un de ces nombres est:
   a. 0
   b. 1
   c. 2
   d. 3

43. L'hypoténuse d'un triangle rectangle mesure 55 mètres de long, et sa surface est de 56 mètres carrés. L'un des côtés du triangle mesure:
   a. 1,2 mètres
   b. 2 mètres
   c. 2,5 mètres
   d. 4 mètres

44. 1/4 x 2/3 x 3/2 = ?
   a. 1/4
   b 5/9
   c. 6/9
   d. 3

45. 1/4 x 3/4 + 4/5 = ?
    a. 7/13
    b. 15/64
    c. 15/4
    d. 12/20

46. Lequel des éléments suivants constitue le nombre le plus grand?
    a. 13/24
    b. 21/40
    c. 36/70
    d. 51/100

47. Sally est plus âgée que son frère de 2 ans. Il y a douze ans, elle était deux fois plus âgée que lui. Quel est l'âge de Sally aujourd'hui?
    a. 14
    b. 16
    c. 20
    d. 32

48. 16 équipes participaient à un tournoi de basket-ball. Quand une équipe perdait, elle était éliminée du tournoi. Combien de matchs a-t-il fallu organiser pour déterminer une équipe gagnante?
    a. 4
    b. 9
    c. 15
    d. 31

Aptitude spatiale

L'épreuve suivante consiste à choisir l'image de droite qui résulterait de la bonne disposition des parties de gauche de la page. Il n'y a qu'une bonne réponse pour chaque élément.

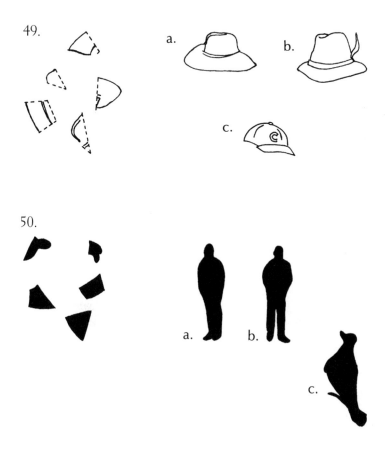

51.

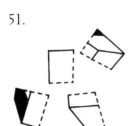

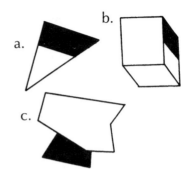

a.

b.

c.

52.

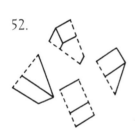

a.

b.

c.

53.

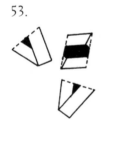

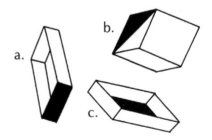

a.

b.

c.

54.

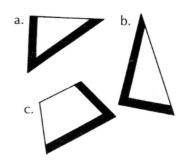

Source : Louis H. Janda, Jerry Fulk, Meredith Janda et Judy Wallace, « The Development of a Test of General Mental Abilities », manuscrit, Old Dominion University, 1995.

Réponses

1. a	19. d	37. c
2. c	20. d	38. c
3. b	21. a	39. b
4. a	22. a	40. b
5. a	23. a	41. c
6. b	24. d	42. d
7. a	25. d	43. d
8. c	26. c	44. a
9. d	27. c	45. b
10. b	28. b	46. a
11. a	29. c	47. b
12. a	30. c	48. c
13. a	31. d	49. a
14. a	32. b	50. a
15. c	33. c	51. b
16. d	34. b	52. c
17. c	35. d	53. c
18. c	36. b	54. b

Comment vous comparez-vous à d'autres?

Résultats	Pourcentage
18	15
22	30
27	50
32	70
36	85
45	Doué

À propos d'intelligence

Le test des aptitudes mentales générales a été conçu pour mesurer l'intelligence. Quoique ce test ne soit pas aussi détaillé que la plupart des tests d'intelligence, il vous fournira une idée générale de vos aptitudes intellectuelles. Lors de nos études de validation, nous avons constaté que les résultats du test traduisaient bien les moyennes des étudiants du niveau collégial ainsi que leurs notes d'examen d'entrée à l'université. Étant donné que les normes de ce test sont fondées sur le rendement d'étudiants du collégial, un pourcentage de 50 signifie que vos aptitudes intellectuelles se situent sensiblement au-dessus de la moyenne, ce qui veut dire que vous possédez autant d'aptitudes que l'étudiant moyen. Si vous avez répondu correctement à au moins 45 questions, il est très possible que votre résultat se situerait à l'échelle supérieure d'autres tests courants d'intelligence.

Si vous avez obtenu une note élevée pour ce test, qu'est-ce que cela signifie ? Que vous devriez être content. Être intelligent de naissance constitue un atout de taille. Les gens qui possèdent un quotient intellectuel élevé ont de meilleures notes à l'école, réussissent mieux les tests de niveau, font des études plus avancées et ont plus de chances d'embrasser une carrière professionnelle. Les gens très intelligents ont aussi tendance à avoir une plus grande estime de soi, plus de dynamisme, davantage d'aptitudes physiques, être plus heureux en mariage et même avoir une vie sexuelle plus réussie. Ils ont en outre une moins grande propension à avoir des problèmes, notamment des problèmes graves d'ordre psychologique, d'alcoolisme et de criminalité. Il y a bien sûr des exceptions, mais en général, les personnes très intelligentes se démarquent de diverses manières.

Ceux qui ont obtenu de bons résultats ne devraient pas par contre en tirer trop d'orgueil. Un fort quotient intellectuel ne constitue nullement un gage de réussite. Chaque année, d'innombrables étudiants ayant obtenu des notes impressionnantes aux examens abandonnent les études tandis que leurs collègues moins doués se retrouvent sur la liste des meilleurs étudiants. Je me souviens d'ailleurs, à ce propos, d'une conférence que j'ai donnée il y a plusieurs années devant une section locale du club Mensa, où vous pouvez entrer que si vous faites la preuve que vous vous situez parmi les deux pour cent des personnes les plus intelligentes de la population (une note de 45 à ce test vous classerait à ce niveau). Je ne peux trouver d'autre façon de le dire : ce groupe de gens était ennuyeux. J'expliquerais cela en disant que comme ils accomplissent si peu dans leur vie personnelle, ils deviennent membres de ce regroupement pour se prouver à eux-mêmes qu'ils sont des personnes intellectuellement supérieures. Car, en vérité, des qualités comme la motivation, la persévérance et la curiosité compensent largement un quotient intellectuel modeste. Ce que vous accomplissez dans votre vie est beaucoup plus important que le résultat obtenu dans un test normalisé.

À preuve de l'importance des caractères de la personnalité, il a été démontré que même si le degré d'intelligence indique le niveau que devrait atteindre quelqu'un dans l'échelle du travail, il ne présage nullement de son degré de réussite à un niveau donné de cette même échelle du travail. De sorte que si vous êtes assez intelligent, par exemple, pour réussir votre cours de médecine, vous avez autant de chances de devenir un bon médecin que vos collègues plus intelligents. Il faut un certain degré d'intelligence pour maîtriser des notions complexes, mais si vous possédez les aptitudes mentales requises, vos qualités personnelles détermineront alors votre réussite dans la sphère que vous aurez choisie.

Nul doute qu'il existe un facteur génétique important dans l'intelligence (seuls quelques psychologues imbus de rectitude politique nient cette vérité évidente). Nous savons tous que des parents brillants ont tendance à avoir des enfants brillants. Mais cela ne veut pas dire que l'intelligence est immuable. Les expériences peuvent exercer, et exercent, une influence sur le fonctionnement intellectuel. Une curiosité intense et le désir d'apprendre peuvent faire augmenter l'intelligence et ce processus peut se poursuivre tout le long de la vie.

Il y a toutefois des limites à l'accroissement du quotient intellectuel. Une personne à l'esprit simple ne pourrait jamais remporter le prix Nobel de physique quelles que soient les stimulations auxquelles vous l'exposeriez. Mais si vous aviez de la difficulté à suivre vos collègues en classe, rendu à l'âge adulte, vous pourriez en surclasser plusieurs si vous êtes déterminé à le faire.

Un aspect important de l'intelligence est qu'elle n'a pas une diffusion homogène chez un individu. Jusqu'à un certain point, un résultat de quotient intellectuel correspond à une moyenne de plusieurs aptitudes diverses. Par exemple, j'ai toujours bien réussi dans tous les cours où les mathématiques jouaient un rôle, mais je n'ai jamais pu comprendre comment mes professeurs d'anglais pouvaient en dire autant sur un roman de Joseph Conrad (en fait, je pense encore que leurs propos étaient souvent du remplissage). Et quoique je sois difficile à battre au jeu de Quelques arpents de piège, je n'ai jamais gagné une seule fois au jeu de Scrabble. Ainsi, même si le résultat d'un test vous décourage, cela ne veut pas dire que vous ne pouvez pas exceller dans un secteur donné. James Watson, qui a remporté le prix Nobel pour avoir découvert la structure de l'ADN, a écrit qu'il a décroché une marque à peine plus haute que la moyenne dans un test de quotient intellectuel.

L'avantage premier de l'intelligence est qu'il rend plusieurs choses un peu plus faciles à accomplir. Ainsi, il est plus facile de réussir à l'école, il est plus facile de passer l'examen professionnel, il est plus facile de s'adapter quand le patron décide de changer le logiciel utilisé par l'ensemble des employés. Mais il peut y avoir des désavantages à être doté d'une intelligence supérieure. Certains de ceux ayant le mieux réussi parmi les gens que je connais ont dû trimer dur pour arriver. Ma femme a une amie qui a dû s'y reprendre par trois fois pour passer son examen d'agent immobilier. Et elle a beaucoup étudié pour chacun des examens. Mais dès qu'elle a réussi, sa carrière a démarré en trombe. Elle s'était habituée à travailler fort afin de compenser ses difficultés à réussir et les habitudes qu'elle avait prises lui ont assuré le succès. Par conséquent, ceux d'entre vous qui n'ont pas de résultats élevés dans le prochain test ne devraient pas se décourager. Et ceux d'entre vous qui décrochez des marques en deçà de la moyenne ne doivent pas se décourager non plus. Découvrez vos points forts et laissez-vous emporter vers votre objectif par votre ténacité et un travail acharné.

AVEZ-VOUS PEUR DE RÉUSSIR?

L'ÉCHELLE DE LA CRAINTE DE LA RÉUSSITE

INSTRUCTIONS : Pour les items suivants, si l'affirmation s'applique généralement à vous, cochez la case « Vrai ». Si elle ne s'applique pas en général à vous, cochez la case « Faux ».

Vrai Faux

❏ ❏ 1. J'ai parfois peur d'accomplir des choses aussi bien que je pourrais le faire.

❏ ❏ 2. J'ai tendance à me demander si je me mets les gens à dos quand mon travail est bien accompli.

❏ ❏ 3. Je ne me demande jamais si je peux me faire détester parce que je réussis bien dans un domaine.

❏ ❏ 4. J'accomplis parfois moins qu'il m'est possible de faire de peur d'être rejeté.

❏ ❏ 5. Je pense souvent que les autres peuvent croire que je veux « me montrer ».

❏ ❏ 6. Je ne me préoccupe jamais de la possibilité que les autres pensent que je travaille trop.

Vrai   Faux

❏   ❏   7. Je m'inquiéterais d'être considéré comme le meilleur dans mon domaine.

❏   ❏   8. Je semble plus nerveux après avoir réussi qu'après avoir échoué quelque chose.

❏   ❏   9. Je m'inquiéterais de ce que les autres me considèrent comme singulier ou bizarre parce que je m'occupe trop de mon travail.

❏   ❏   10. J'ai à l'occasion accompli délibérément une tâche de façon peu soignée ou incorrecte afin d'être sûr que quelqu'un d'autre allait l'accomplir mieux que moi.

❏   ❏   11. Je m'inquiète parfois de ce que les autres s'attendent trop de moi.

❏   ❏   12. Je me fixe habituellement des objectifs moins élevés que ceux que je suis capable d'atteindre.

❏   ❏   13. J'ai tendance à être attiré vers des activités qui ne représentent pas un grand défi pour moi.

❏   ❏   14. Je ne semble pas aimer bien accomplir un travail autant que je devrais le faire.

❏   ❏   15. Je n'aime pas entrer en concurrence avec les autres s'il y a une possibilité qu'ils puissent m'en vouloir.

❏   ❏   16. Je m'inquiète de la possibilité d'être critiqué par mes amis ou mes associés parce que je m'occupe trop de mon travail.

❏   ❏   17. Je m'inquiète parfois de devenir trop connaissant.

Vrai   Faux

❏   ❏   18. Je ne m'inquiète jamais de savoir que des amitiés peuvent devoir être sacrifiées pour accomplir certaines tâches ou certains genres de travail.

❏   ❏   19. Si j'accomplissais quelque chose d'une manière extraordinaire, je m'inquiéterais de ce que les autres se moquent de moi derrière mon dos.

❏   ❏   20. Je ne me préoccupe pas de l'opinion des autres quand il s'agit d'accomplir quelque chose.

❏   ❏   21. J'ai tendance à penser que l'on pourrait devenir jaloux si je réussis dans quelque chose.

❏   ❏   22. Je ne m'inquiète jamais de la possibilité que ma réussite dans mes études ou ma profession puisse nuire à mes rapports sociaux.

❏   ❏   23. Je ne m'inquiète jamais de savoir que des gens pourraient se sentir dérangés ou mal à l'aise si j'étais trop compétent dans un domaine.

❏   ❏   24. J'ai tendance à craindre que les autres ne m'aiment que pour ce que je peux faire pour eux grâce à ma compétence dans un certain domaine.

❏   ❏   25. J'ai tendance à craindre que des pressions indues soient faites sur moi si j'acquiers une grande compétence dans un domaine.

Vrai   Faux

❏   ❏   26. Je crains de devenir tellement connaissant que les autres ne vont pas m'aimer.

❏   ❏   27. Je crains que les autres ne prennent avantage sur moi si j'acquiers une très grande compétence dans quelque chose.

❏   ❏   28. Si je réussissais dans quelque chose, je m'inquiéterais de ce que quelqu'un ne compromette ma réussite.

❏   ❏   29. Je m'inquiéterais de ce que les autres aient peur de moi s'ils sentent que je comprends trop bien les gens.

Source : Lawrence R. Good et Katherine C. Good, «An Objective Measure of the Motive to Avoid Success», *Psychological Reports*, n° 33, 1973, p. 1009-1010. Publié avec l'autorisation du détenteur des droits.

Résultats

1. V	11. V	21. V
2. V	12. V	22. F
3. F	13. V	23. F
4. V	14. V	24. V
5. V	15. V	25. V
6. F	16. V	26. V
7. V	17. V	27. V
8. V	18. F	28. V
9. V	19. V	29. V
10. V	20. F	

Comment vous comparez-vous à d'autres

Résultat		Pourcentages
Hommes	*Femmes*	
2	3	15
4	5	30
6	8	50
8	11	70
10	13	85

À propos de la crainte de la réussite

À la fin des années 1960, la psychologue Martina Horner attira l'attention générale sur la notion de la « crainte de la réussite » quand elle révéla que les femmes étaient beaucoup plus enclines à souffrir de cette crainte que ne le sont les hommes. Dans le cadre de sa recherche, la psychologue demanda à des étudiantes d'écrire un paragraphe à la suite des mots suivants : « Après les examens du premier semestre, Anne se retrouve à la tête de sa classe de médecine... » On donna la même phrase à des étudiants, seul le prénom Jean ayant été substitué à celui d'Anne. Les résultats furent dramatiques. Soixante-deux pour cent des filles écrivirent un paragraphe décrivant les conséquences négatives de la réussite d'Anne. Ainsi, une des étudiantes rédigea ceci : « Anne est un rat de bibliothèque au visage rongé par l'acné. Elle se précipite au tableau et constate qu'elle est en tête de liste. Comme d'habitude, elle se pavane. La classe répond par un chœur de grognements. » Par contre, seulement 9 % des hommes suggérèrent qu'il y avait quelque chose de négatif dans la réussite de Jean. Jean était habituellement décrit comme un type consciencieux, travailleur et aimable. Les recherches de Horner inspirèrent de nombreux projets de recherches (l'échelle de la crainte de la réussite en constitue un exemple) ainsi que des quantités d'articles dans des revues populaires. En peu de temps, nombre de femmes furent convaincues qu'elles se trouvaient devant un nouvel obstacle à affronter. Bien que les recherches subséquentes bénéficièrent de beaucoup moins d'attention, elles firent ressortir que les femmes sont moins handicapées par leur peur que ne le suggère la recherche de Horner. Tout d'abord, plusieurs recherches (y compris l'une entreprise par moi-même) révélèrent que la peur de la réussite semble être associée au degré de domination des hommes ou des femmes dans une profession. Par exemple, les femmes expriment une plus grande crainte de la réussite quand Anne se trouve à la tête de sa classe d'ingénierie alors que les hommes expriment une plus grande crainte de la réussite quand Jean réussit son cours d'infirmier. Tant les hommes que les femmes sont susceptibles de ressentir un malaise quand ils réussissent dans une sphère dominée par l'autre sexe. D'autre part, les recherches qui suivirent soulevèrent des interrogations quant à la méthodologie utilisée par Horner pour évaluer la crainte de la réussite. Quand les autres chercheurs utilisèrent des méthodes plus précises, les différences s'estompèrent entre les hommes et les femmes, et, dans certains cas, disparurent.

Même si les femmes ne ressentent pas autant la crainte de la réussite que le laisse entendre Horner, elles ont sans doute de bonnes raisons d'hésiter à s'exposer dans certaines situations. Plusieurs étudiantes du niveau secondaire, et même collégial, ont laissé entendre qu'elles s'efforcent d'ébruiter le moins possible leurs notes élevées, convaincues qu'elles sont que cela pourrait diminuer leurs chances d'être invitées à une sortie par un garçon. Les hommes peuvent bien affirmer qu'ils préfèrent les femmes intelligentes, mais il est peu habituel qu'un homme se sente à l'aise avec une femme qu'il sait plus intelligente et plus qualifiée que lui. Comme deuxième exemple, une de mes amies qui a terminé récemment son cours de médecine est convaincue que la faculté lui a rendu la vie plus difficile que pour les hommes de sa promotion. Les facultés de médecine continuent d'être dirigées par des hommes, même à notre époque où près de la moitié des étudiants sont de sexe féminin, et certains professeurs semblent s'opposer à une meilleure représentativité des femmes dans la profession. Dans la promotion de mon amie, les femmes, particulièrement les plus douées et les plus brillantes, étaient régulièrement humiliées et rabrouées. Dans un tel contexte, la plupart des gens trouveraient plus facile de se fondre dans la foule que de se mettre en avant par leurs talents.

La crainte de la réussite constitue un véritable problème pour certaines personnes, mais je crois qu'un problème plus courant, qui est relié au précédent, est la crainte de l'échec. Tant la crainte de la réussite que la crainte de l'échec peuvent susciter des effets semblables : elles empêchent les gens de donner leur plein rendement. Si un étudiant ne donne pas son plein rendement dans un examen semestriel, lorsqu'il recevra un C, il pourra se consoler en se disant qu'il n'a pas vraiment fait d'effort. Quand une athlète relâche son entraînement, elle peut se dire à elle-même, au moment où elle rate l'épreuve, que son adversaire était en meilleure forme — mais pas aussi habile — qu'elle.

Il est presque impossible de distinguer la peur de la réussite de la peur de l'échec, leurs effets étant tellement identiques. J'ai un ami, Tom, peintre talentueux, qui n'a jamais exposé ses œuvres. Il y a quelques années, il m'a donné une de ses toiles en cadeau et, lorsque j'ai été dans une boutique pour la faire encadrer, le propriétaire m'a demandé de dire à Tom qu'il l'appelle. D'après ce qu'il avait vu du travail de Tom, il croyait pouvoir vendre ses œuvres. Tom a refusé d'appeler le propriétaire de la boutique même s'il avait désespérément besoin d'argent. Sa répugnance était-elle causée par sa peur de la réussite ou sa peur de l'échec ? Je l'ignore, mais pour reprendre une scène de *Northern Exposure*[1], quand la chance frappa à la porte, Tom s'enfuit en catimini par la porte arrière.

---

1. Populaire émission de télévision américaine. (N.d.T.)

Si vous obtenez une note de 85 % ou plus, vous auriez avantage à vous observer attentivement. Si vous êtes jeune, disons au milieu de la vingtaine, il se peut que vous acceptiez mieux la réussite à mesure que vous acquerrez de l'expérience. Il n'est pas rare que des étudiants ou de jeunes professionnels acceptent mal la reconnaissance qui accompagne la réussite. Il peuvent ressentir qu'ils ne la méritent pas. Mais au fil du temps, la plupart des gens constatent qu'ils méritent tout autant cette reconnaissance que leurs collègues.

Si l'âge et l'expérience ne vous ont pas réconcilié avec l'idée de la réussite, vous devriez vous efforcer consciemment de contrer cette tendance au défaitisme. Vous pourriez dresser une liste des situations où vos craintes vous obnubilent. Puis dressez une liste des conséquences négatives de la réussite qui s'appliquent à vous. Parfois, une simple mise en situation du problème vous aidera à le régler. Au besoin, cependant, faites face consciemment à chacune des situations de votre première liste et, ensuite, notez combien de conséquences de votre deuxième liste en découlent réellement.

La peur de la réussite est presque toujours un problème délicat. Il y a des gens, et mon ami Tom est sans doute l'un d'eux, dont la vie est fortement affectée par leurs peurs. Mais pour la plupart d'entre nous, la peur de la réussite constitue l'une de ces difficultés qui nous mettent mal à l'aise quand nous prenons notre envol.

QUELLES SONT VOS APTITUDES À CHERCHER UN EMPLOI?

LE SONDAGE DE RECHERCHE DÉTERMINÉE D'EMPLOI

INSTRUCTIONS : Cet inventaire a pour but de vous renseigner sur la manière dont vous cherchez un emploi. Imaginez-vous dans chacune de ces situations de recherche d'emploi et réfléchissez à la façon dont vous réagiriez. Si vous n'avez jamais cherché un emploi, répondez d'après la manière dont vous aimeriez en chercher un. Réagissez aux affirmations qui suivent en choisissant le chiffre correspondant à l'une des possibilités ci-dessous.

1 = Très improbable
2 = Improbable
3 = Assez improbable
4 = Assez probable
5 = Probable
6 = Très probable

☐ 1. Si on me demandait mon degré d'expérience pour un emploi, je ne mentionnerais que mon expérience dans un emploi rémunéré.

☐ 2. Si j'entendais quelqu'un parler d'une perspective d'emploi intéressante, j'hésiterais à demander plus de renseignements à moins de connaître la personne.

☐ 3. Je demanderais à un employeur qui n'aurait pas de débouchés d'emploi s'il connaît d'autres employeurs susceptibles de proposer des emplois.

☐ 4. Je minimiserais mes compétences de façon à ce que l'employeur ne croie pas que je suis plus compétent que je ne le parais.

☐ 5. Je préférerais m'adresser à une agence de placement que postuler pour un emploi directement chez l'employeur.

☐ 6. Avant une entrevue, je parlerais à un employé de l'entreprise afin de mieux la connaître.

☐ 7. J'hésiterais à poser des questions lors d'une entrevue d'emploi.

☐ 8. J'éviterais de contacter des employeurs éventuels par téléphone ou en personne, car j'aurais l'impression qu'ils sont trop occupés pour me parler.

☐ 9. Si la personne qui me fait passer l'entrevue arrive très en retard, je partirais ou solliciterais un autre rendez-vous.

☐ 10. Je crois qu'un conseiller en placement expérimenté aurait une meilleure idée que moi-même des emplois que je pourrais solliciter.

☐ 11. Si une secrétaire me disait qu'un employeur potentiel est trop occupé pour me recevoir, je ne tenterais plus de le contacter.

☐ 12. Décrocher l'emploi que je désire est en grande partie une question de chance.

☐ 13. Je contacterais directement la personne en charge plutôt que le service du personnel de l'entreprise.

☐ 14. J'hésiterais à demander à des professeurs ou des contremaîtres de rédiger des lettres de recommandation pour moi.

☐ 15. Je m'abstiendrais de solliciter un emploi à moins de posséder toutes les compétences mentionnées dans l'offre d'emploi.

☐ 16. Je demanderais à l'employeur une deuxième entrevue si je pensais que la première ne s'est pas bien déroulée.

☐ 17. J'hésiterais à contacter une entreprise pour solliciter un emploi à moins de savoir qu'il y a un poste vacant.

☐ 18. Si je ne décrochais pas un emploi, j'appellerais l'employeur pour lui demander comment améliorer mes chances de décrocher un emploi identique.

☐ 19. Je me sentirais mal à l'aise de demander à des amis de m'aider à trouver du travail.

☐ 20. Avec un marché du travail sursaturé, je ferais mieux de prendre n'importe quel emploi qui s'offre à moi.

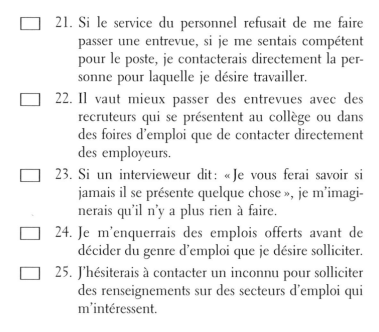

☐   21. Si le service du personnel refusait de me faire passer une entrevue, si je me sentais compétent pour le poste, je contacterais directement la personne pour laquelle je désire travailler.

☐   22. Il vaut mieux passer des entrevues avec des recruteurs qui se présentent au collège ou dans des foires d'emploi que de contacter directement des employeurs.

☐   23. Si un intervieweur dit : « Je vous ferai savoir si jamais il se présente quelque chose », je m'imaginerais qu'il n'y a plus rien à faire.

☐   24. Je m'enquerrais des emplois offerts avant de décider du genre d'emploi que je désire solliciter.

☐   25. J'hésiterais à contacter un inconnu pour solliciter des renseignements sur des secteurs d'emploi qui m'intéressent.

Source : Heather A. Becker, « The Assertive Job-Hunting Survey », *Measurement and Evaluation in Guidance*, n° 13, 1980, p. 43-48. Publié avec l'autorisation du détenteur des droits.

Résultats

Additionnez les points des items suivants : 3, 6, 9, 13, 16, 18 et 21.

Les items qui suivent sont notés « en sens inverse ». Pour obtenir le résultat de ces items, soustrayez de 7 chaque nombre que vous aurez noté. Additionnez les nombres ainsi obtenus et déterminez la note finale en additionnant les totaux des deux groupes d'items. Les items notés en sens inverse sont : 1, 2, 4, 5, 7, 8, 10, 11, 12, 14, 15, 17, 19, 20, 22, 23, 24 et 25.

Comment vous comparez-vous à d'autres ?

Résultat	Pourcentages
90	15
98	30
106	50
116	70
124	85

À propos de la détermination
dans la recherche d'un emploi

L'auteur du sondage de recherche déterminée d'emploi, « Assertive Job-Hunting Survey », le docteur Heather Becker, l'a conçu pour être utilisé au Career Counseling Center de l'Université du Texas, où elle travaille. L'une des tâches du Dr Becker était d'animer des ateliers pour étudiants, la plupart d'entre eux des finissants, qui désiraient augmenter leurs chances de réussite dans la recherche d'un emploi. En collaboration avec des collègues du Centre, le Dr Becker rédigea les items en fonction des sujets abordés et de l'enseignement prodigué dans le cadre des ateliers.

Tout le monde connaît le lieu commun voulant que 80 % des emplois disponibles ne sont pas affichés, et si vous jetez un coup d'œil aux annonces classées de tout grand quotidien, vous aurez tendance à le croire. Sauf dans des domaines où il y a pénurie de candidats compétents, tels que l'informatique, une vaste majorité des annonces concernent des emplois au bas de l'échelle ou des postes de vente. Des hommes et des femmes passifs ou manquant d'enthousiasme et qui attendent qu'on les invite à postuler pour un emploi se retrouveront gros Jean comme devant ou aboutiront dans des postes qui ne leur conviennent pas.

En utilisant le barème, le Dr Becker constata que certaines stratégies de recherche d'emploi étaient très difficiles à mettre en œuvre par les étudiants. Observons de plus près certains des items reflétant les aptitudes en cause, qu'une majorité d'étudiants se sentaient incapables de mettre en pratique. Le premier de ces items est le numéro 6, qui suggère qu'il serait bon de contacter un employé de l'entreprise avant de passer l'entrevue. Les employeurs désirent embaucher des employés enthousiastes et renseignés. En conséquence, mieux vous connaissez l'entreprise, plus vous pourrez impressionner l'employeur éventuel. Il peut vous sembler inapproprié d'appeler un inconnu et de lui poser des questions sur son travail, mais les renseignements que vous en tirerez peuvent être fort précieux. R. N. Bolles, auteur du best-seller *What Color Is Your Parachute? A Practical Manual for Job-Hunters and Career-Changers*, propose que les candidats identifient un problème précis rencontré par l'entreprise et imaginent une stratégie pour le résoudre avant la première entrevue. Vous pouvez en apprendre beaucoup d'une compagnie en feuilletant son rapport annuel et les revues d'affaires, mais il n'y a pas de meilleure façon de connaître ses problèmes qu'en discutant avec un employé. D'ailleurs, la plupart des gens adorent parler de leurs problèmes au travail.

Le deuxième item reflétant un manque profond de détermination est le numéro 10, qui suggère qu'un conseiller en placement expérimenté connaît mieux que vous le type de travail pour lequel vous êtes compétent. Les conseillers en placement peuvent constituer une excellente source de renseignements, mais ils ne sont pas aussi intéressés que vous à trouver le poste qui vous convient le mieux. Ils ne connaissent pas non plus aussi bien que vous vos points forts et vos aptitudes. Si vous pouvez rencontrer des conseillers en placement, laissez-leur vous donner des idées, mais ne les laissez jamais décider pour vous de l'emploi correspondant ou non à vos compétences.

Le prochain item-clé porte le numéro 13. Il suggère que vous devriez prendre contact avec la personne pour laquelle vous pourriez éventuellement travailler plutôt qu'avec le service du personnel. Ce dernier possède sans doute une liste des compétences requises pour le poste, et si vous ne répondez pas parfaitement aux conditions d'admissibilité, votre candidature sera rejetée. Si vous pouvez vous entretenir avec la personne pour laquelle vous seriez susceptible de travailler, vous pourriez peut-être la convaincre que vos antécédents et vos aptitudes conviennent parfaitement, même si vous êtes loin de posséder l'expérience nécessaire. Cette démarche serait particulièrement fondée si, comme je l'ai dit précédemment, vous aviez préalablement identifié les problèmes à résoudre dans l'entreprise.

Le quatrième item correspond au numéro 22 et indique qu'il serait préférable de s'adresser à des recruteurs sur le campus ou dans une foire d'emploi plutôt que de contacter directement l'employeur. Il est certainement plus facile de se rendre dans une foire d'emploi et de parler à un recruteur qui est là précisément pour chercher des candidats, mais il s'agit là d'une approche passive qui a moins de chances d'aboutir que si vous contactez l'employeur directement. Tout d'abord, les limitations qui s'appliquaient au service du personnel s'appliquent également au recruteur. En deuxième lieu, le recruteur peut parler à des centaines de candidats, de sorte que vous pourriez vous retrouver perdu parmi les candidatures. Et troisièmement, les employeurs sont toujours à la recherche de gens qui font preuve d'initiative, de sorte que plus vous pourrez vous mettre en valeur, sans être effronté, bien sûr, plus vous aurez de chances de décrocher un emploi.

Le dernier item que je veux aborder porte le numéro 24. La plupart des gens indiquent qu'ils s'enquerraient des emplois offerts avant de signaler le type d'emploi qu'ils aimeraient décrocher. Je dois admettre qu'il est plus pratique de choisir une carrière où il y a beaucoup de perspectives d'avenir, mais cette façon de faire pourrait s'avérer désavantageuse à long terme. Même si vous adorez la littérature anglaise, vous pourriez trouver plus facilement un emploi en terminant une majeure en informatique, mais il est fort possible que vous vous retrouviez rapidement insatisfait. Si vous êtes sérieux et convaincu, vous êtes susceptible de réussir dans le domaine que vous aimez, quel que soit le manque de débouchés. Je pourrais vous raconter plusieurs histoires de gens qui ont obtenu un doctorat dans des disciplines comme l'histoire et l'anglais, où les postes dans l'enseignement universitaire sont extrêmement limités. Certains d'entre eux ont conduit des taxis pendant un certain temps, d'autres ont enseigné à temps partiel dans des centres universitaires pour des salaires dérisoires, mais ceux qui étaient véritablement déterminés ont finalement trouvé un poste qui correspondait à leur formation. Ces gens ont traversé quelques années de vaches maigres, mais ces années furent bien moins difficiles qu'elles l'auraient été s'ils s'étaient lancés dans un domaine qu'ils n'aimaient pas. Si vos efforts pour trouver l'emploi qui vous convient n'ont guère été couronnés de succès, servez-vous des items sur l'échelle de Becker pour aider à améliorer vos aptitudes à chercher un emploi. Si vous obtenez une note de quatre ou moins dans un item, prenez la résolution de vous affirmer davantage à ce chapitre. Les humbles peuvent bien être les amis de Dieu, mais ils ne décrochent pas les meilleurs emplois.

LA RÉUSSITE VOUS MET-ELLE MAL À L'AISE ?

L'ÉCHELLE DU PHÉNOMÈNE DE L'IMPOSTEUR

INSTRUCTIONS : Il y a ci-dessous des énoncés dénotant des sentiments et des attitudes à propos de vous-même et de vos aptitudes. Indiquez la véracité de ces énoncés par rapport à vous-même en utilisant l'échelle qui suit :

TOTALEMENT 1   2   3   4   5   6   7 TRÈS
   FAUX   VRAI

☐ 1. En général, les gens ont tendance à croire que je suis plus compétent que je ne le suis en réalité.

☐ 2. Je suis sûr que mon niveau actuel d'accomplissement procède d'aptitudes véritables.

☐ 3. Je crains parfois qu'on ne découvre qui je suis vraiment.

☐ 4. Je trouve facile d'accepter des compliments à propos de mon intelligence.

☐ 5. Je trouve que je mérite les honneurs, les reconnaissances et les compliments que l'on m'adresse.

☐   6. Il m'est arrivé de penser que ma fonction actuelle ou le programme d'études que je poursuis découlait d'une quelconque erreur.

☐   7. Je suis assuré que je réussirai à l'avenir.

☐   8. J'ai tendance à me sentir comme un imposteur.

☐   9. Ma personnalité ou mon charme font souvent forte impression sur les personnes en autorité.

☐   10. Je considère que j'ai suffisamment de réalisations à mon actif à cette étape de ma vie.

☐   11. Dans une discussion, j'exprime mon opinion quand je suis en désaccord avec le professeur ou le patron.

☐   12. Quand je prévois l'échec, je réussis souvent dans un projet ou un test.

☐   13. Je sens souvent que je cache aux autres des secrets sur moi.

☐   14. Mes personnalités privée et publique sont identiques.

Source : Pauline Rose Clance, « The Impostor Phenomenon Scale », *Psychotherapy : Theory, Research and Practice*, 1978, p. 241-247. Publié avec l'autorisation du détenteur des droits. Reproduction interdite sans la permission écrite du Dr Pauline Clance.

Comment marquer les points de l'échelle du phénomène de l'imposteur

Additionnez les réponses des items 1, 3, 6, 8, 12 et 13. Le reste des items est noté en sens inverse. Ainsi, pour les items 2, 4, 5, 7, 9, 10, 11 et 14, transformez les notes obtenues selon les équivalences suivantes : 1 = 7, 2 = 6, 3 = 5, 4 = 4, 5 = 3, 6 = 2 et 7 = 1, puis additionnez les points qui en découlent pour obtenir le total. Pour trouver le résultat final, additionnez les totaux des deux groupes.

Comment vous comparez-vous à d'autres ?

Résultats		Pourcentages
Hommes	*Femmes*	
17	18	15
22	24	30
27	29	50
32	34	70
37	40	85

À propos du phénomène de l'imposteur

Qu'est-ce que je connais bien ce sujet ! Quand je suis arrivé sur le campus de l'Université de l'Arizona en tant qu'étudiant de troisième cycle inscrit au programme de Ph. D. en psychologie clinique, j'étais convaincu d'être arrivé là par chance. On avait sans doute rempli les classes et quelqu'un s'était désisté à la dernière minute de sorte qu'on m'avait invité à m'inscrire au programme simplement pour faire en sorte qu'il y ait un beau chiffre rond d'étudiants de première. J'étais convaincu que ce n'était pas ma place, et je n'allais pas réussir à terminer ma première année.

Ça ne m'a pas pris très longtemps à comprendre que j'avais autant de talent que mes confrères. Je fus le seul à décrocher une note parfaite dans le premier examen de statistique, de sorte que je devais avoir autant d'intelligence que n'importe qui. Mais le sentiment d'être un imposteur resurgit encore plusieurs fois au cours des années suivantes. J'eus le même sentiment quand j'arrivai pour la première fois à la Old Dominion University en tant que nouveau maître assistant. Ç'avait été une pure chance d'avoir été embauché, me disais-je, et je n'avais aucune chance d'obtenir ma permanence. Mais avant que cette première année ne s'achève, trois de mes articles avaient été retenus pour publication par trois revues prestigieuses. Force fut donc de constater que je méritais bien mon poste.

Ce sentiment de ne pas être à ma place revint me hanter encore plus intensément lorsque je me rendis pour la première fois à New York pour rencontrer un éditeur ayant manifesté l'intention de publier mon premier manuel scolaire. Seuls les gens vraiment importants écrivaient des livres, et il n'y en avait que très peu qui voyaient leur voyage payé à New York. Comment diable étais-je arrivé là? L'éditeur allait sûrement découvrir ma vraie nature. Mais on m'offrit un contrat, et mon livre fut un succès. Je constatai donc que les livres n'étaient pas écrits seulement par des «gens vraiment importants» mais aussi par des gens ordinaires comme moi.

Un quart de siècle a passé depuis ma première classe d'étudiant de troisième cycle, et il ne m'arrive presque plus de me sentir un imposteur. Mais ce sentiment continue de me hanter d'une manière encore plus furtive. Quand Meredith, ma femme, se met très en colère contre moi, elle me dit qu'il n'y a pas moyen de me satisfaire. Quand j'ai un projet de livre, je me demande si un éditeur va me proposer d'en acheter les droits. Et quand je signe un contrat d'édition et que je suis en train d'écrire l'ouvrage, je pense qu'il sera tellement nul que l'éditeur annulera le contrat et que le livre ne pourra jamais être publié. Je continue à ressentir un peu de difficulté à jouir du succès modeste qui est le mien.

Il y a une ou deux façons d'acquérir le sentiment d'être un imposteur. Mon cheminement a été marqué par des parents appartenant à la classe ouvrière et qui n'imaginaient jamais que l'on pouvait entreprendre des études avancées. Je n'ai même connu avant l'âge de douze ans aucun camarade dont les parents avaient fréquenté un établissement d'enseignement supérieur. Je me souviens de ma mère et de mon père affirmant qu'il serait merveilleux de me voir terminer un jour des études supérieures. Ils n'arrivaient pas à concevoir dans leurs rêves les plus fous que je puisse poursuivre mes études au-delà du baccalauréat. Pour eux, médecins, avocats et professeurs d'université venaient d'un autre monde inconnu. En tout cas, ils ne venaient pas de mon voisinage. Rétrospectivement, il n'est guère étonnant que je ne me sois pas senti à ma place quand je suis arrivé sur le campus de l'Université de l'Arizona. Personne de ma famille n'avait accompli une telle chose, et ils n'avaient jamais imaginé non plus que je puisse l'accomplir.

Le deuxième genre d'imposteur est celui qui a été complimenté à satiété par ses parents, mais pour des qualités différentes de celles qu'il faut posséder pour réussir. Je connais une femme — appelons-la Suzanne — qui est extrêmement brillante et compétente dans sa profession. Dans son enfance, les parents de Suzanne la complimentaient chaque jour pour sa beauté et son charme. D'après papa et maman, un jour, elle aurait un grand succès, car personne ne pourrait résister à son charme. Or ses parents avaient raison. Suzanne a réussi pleinement. Mais elle ne peut se débarrasser de l'idée agaçante que ce n'est pas son talent mais bien le fait que les gens l'aiment et l'admirent qui a mené à sa réussite. Tout comme moi, Suzanne a vécu assez longtemps pour se rendre compte qu'elle est parfaitement à sa place dans sa profession. Elle sait que son allure et son charme ne pourraient expliquer seuls vingt ans de carrière. Mais elle se demande si elle aurait pu aller plus loin sans ce sentiment lancinant d'imposture qui la hantait lorsqu'elle a amorcé sa carrière. Se serait-elle lancé dans des projets plus ambitieux ? Aurait-elle postulé à un poste dans une université plus prestigieuse ? Peut-être aurait-elle pu devenir rectrice d'une université, si seulement elle avait cru pouvoir y parvenir. Si vous avez eu une note élevée dans l'échelle du phénomène de l'imposteur, vous savez sans doute déjà que cela peut vous affecter. Tout comme Suzanne et moi, il peut vous être difficile d'accepter et de jouir de vos réussites, et vous êtes susceptible de vous fixer des objectifs peu réalistes. Vous serez heureux d'apprendre que cette caractéristique peut s'estomper avec le temps. Malheureusement, cela pourrait prendre 20 ans à disparaître. Vous pouvez cependant accélérer ce processus en faisant des efforts conscients en ce sens. Quand vous atteindrez la réussite, souvenez-vous qu'elle est venue grâce à vos efforts, à votre travail acharné. Peut-être que la chance ou le charme ont contribué un peu à votre réussite, mais les gens qui ne comptent que sur ces facteurs sont vite écartés. Et prenez toujours le temps de savourer vos réussites. Invitez la famille au restaurant pour fêter ça. Écrivez à tous vos proches pour les informer de la bonne nouvelle. Trop souvent, l'imposteur considère que ses réussites ne sont pas assez importantes. Évitez de faire cela. Ça pourrait vous rendre fou.

Et si vous subissez à l'occasion un revers dans votre cheminement (Suzanne et moi en avons eu notre lot), abstenez-vous, dans tous les cas, de penser qu'il s'agit là d'un indice inéluctable de votre échec. Si vous ne tombez jamais, c'est peut-être que vous n'allez pas au bout de vous-même.

SAVEZ-VOUS PASSER DES TESTS?

LE TEST DES APTITUDES À PASSER DES TESTS

INSTRUCTIONS: L'échelle suivante mesure vos aptitudes à passer des tests. Constitué de questions à réponses multiples portant sur l'histoire, ce test présente des questions dont vous n'êtes pas censé connaître les réponses. Toutes les questions cependant offrent des indices ou des pistes susceptibles d'aider les candidats perspicaces à proposer des solutions éclairées se rapprochant des bonnes réponses. Lisez attentivement les questions. Il n'y a qu'une bonne réponse par question. Il n'y a aucune limite de temps pour passer ce test.

1. Le pacte de Locarno :
   a. est une entente internationale qui favorise le maintien de la paix en garantissant les frontières nationales de la France, de l'Allemagne, de l'Italie, de la Belgique et d'autres pays de l'Europe de l'Ouest ;
   b. a permis à la France d'occuper la vallée de la Ruhr ;
   c. prévoyait le démembrement de l'Autriche-Hongrie ;
   d. prévoyait la protection des installations de la Croix Rouge en temps de guerre.

2. L'élection controversée Hayes-Tilden de 1876 a été conclue par :
   a. une résolution de la Chambre des représentants ;
   b. une décision des États-Unis ;
   c. une commission électorale ;
   d. une résolution conjointe du Congrès.

3. La Législation industrielle de 1833 amena de nouvelles dispositions pour l'inspection des usines. La nouvelle législation était importante car :
   a. les inspecteurs n'appartenant pas au milieu local, ils n'entretenaient aucun lien avec les gens de l'endroit qui aurait pu influer sur l'exécution de leurs tâche ; ils étaient responsables auprès du gouvernement national plutôt qu'auprès des autorités locales, et on les incitait à développer un professionnalisme dans le cadre de leur travail ;
   b. le personnel d'inspection était recruté parmi les travailleurs d'usine ;
   c. on demanda aux inspecteurs de proposer une nouvelle législation ;
   d. l'établissement d'un système d'inspection des usines fournit du travail à un grand nombre de personnes instruites issues de la classe moyenne.

4. Le Manifeste d'Oslo visait à :
   a. décourager l'expansionnisme sudiste ;
   b. prévenir l'expansion au Sud ;
   c. soutenir l'expansionnisme sudiste ;
   d. favoriser l'ensemble des éléments précédents.

5. Le caractère auguste du travail de Périclès à Athènes fit comparer souvent son œuvre à celle de la Rome :
   a. d'Auguste ;
   b. de Sylla ;
   c. de Pompéi ;
   d. de Claudius.

6. L'une des principales raisons de la rupture de la monarchie double fut :
   a. le discours de défection de l'empereur François-Joseph ;
   b. le conflit des nationalités ;
   c. la défaite des Chinois ;
   d. la Révolution bolchevique.

7. Le traité Webster-Ashburton mit un terme à la longue querelle de la Grande-Bretagne et des États-Unis au sujet :
   a. des frontières du Maine ;
   b. de nombreuses revendications litigieuses sur des terres et de nombre de gestes de mauvaise foi ;
   c. de dommages causés par la guerre de 1812 et d'événements qui s'ensuivirent ;
   d. des droits de pêche sur les Grands Lacs et dans les eaux internationales.

8. Le droit international fut institué par :
   a. Justinien et Poséidon ;
   b. les juristes britanniques ;
   c. les délégués juridiques papaux ;
   d. Grotius.

9. Les hommes qui s'opposèrent au « Mouvement de dix heures » dans l'histoire industrielle anglaise :
   a. étaient des dirigeants du parti politique au pouvoir ;
   b. étaient convaincus que de moins longues heures de travail étaient mauvaises pour la classe ouvrière ;
   c. étaient motivés principalement par des intérêts purement égoïstes ;
   d. étaient convaincus qu'une intervention allait mettre en péril le bien-être économique de l'Angleterre.

10. L'impérialisme romain affecta la propriété foncière en :
    a. augmentant le nombre de petites fermes ;
    b. éliminant l'agriculture au profit de l'importation de toutes les denrées ;
    c. amenant une répartition plus équitable des terres ;
    d. faisant augmenter le nombre de grandes propriétés et en réduisant le nombre des petites fermes, ce qui fit augmenter dès lors le nombre de gens privés de terres.

11. La Déclaration des droits de l'homme fut :
    a. adoptée par l'Assemblée nationale française ;
    b. adoptée par toutes les législatures européennes ;
    c. ratifiée immédiatement par toutes les nations de la Terre ;
    d. applaudie par toute la population en Angleterre.

12. Si vous considérez que les propos d'Auguste dans *Monumentum Ancyranum* représentent sa pensée véritable, avec quelle affirmation suivante croyez-vous qu'il serait d'accord?

   a. le sénat devrait être aboli;

   b. Auguste restaura la forme ancienne et originale de la République;

   c. une certaine apparence de la République se maintint;

   d. le principat était une monarchie.

13. En 1951, le ministère de l'Agriculture américain abolit tous les contrôles sur les superficies de culture du coton car:

   a. le coton avait perdu toute valeur commerciale par suite de l'introduction et de l'usage intensif de la rayonne et du nylon;

   b. l'anthonome du cotonnier avait détruit la récolte entière de coton dans les trois années précédentes et avait suscité une pénurie de coton à l'échelle du pays;

   c. la cessation complète de la production allemande et japonaise de coton depuis la Deuxième Guerre mondiale avait créé une pénurie de coton à l'échelle mondiale;

   d. l'utilisation du coton s'était accrue et la disponibilité du coton avait diminuée.

14. Le règne de Marius (de 157 à 86 avant J.-C.), opposé à Sylla, est important dans l'histoire romaine parce qu'il :
    a. organisa plusieurs repas et des divertissements fastueux pour la royauté ;
    b. réussit à armer les gladiateurs ;
    c. démontra que l'autorité civile pouvait être écartée par l'armée ;
    d. permit au parti populaire d'organiser des assemblées politiques hors de Rome.

15. Le pacte de Locarno :
    a. constituait une entente entre la Grèce et la Turquie ;
    b. cédait le Tyrol à l'Italie ;
    c. était une conspiration visant à faire sauter l'édifice de la Société des nations à Locarno ;
    d. garantissait les ententes frontalières en Europe de l'Ouest.

16. Dans la seizième *Épode*, Horace met en relief :
    a. le désespoir de l'homme moyen confronté à de grands changements sociaux ;
    b. la grandeur de l'homme moyen confronté à de grands changements sociaux ;
    c. l'optimisme de l'homme moyen par rapport à de grands changements sociaux ;
    d. tous les éléments précédents.

17. L'historien Thucydide écrivit l'histoire de :
    a. la guerre du Péloponnèse ;
    b. la guerre persique ;
    c. la Marche des dix mille ;
    d. la conquête de l'Égypte par Alexandre le Grand.

18. La première querelle électorale présidentielle aux États-Unis dissipée par une commission électorale élue fut:
    a. la campagne Hayes-Tilden;
    b. la campagne Jefferson-Madison;
    c. la campagne John Quincy Adams-Henry Clay;
    d. la campagne Garfield-McKinley.

19. Le premier code de lois fut:
    a. le *Civilia Equus*;
    b. le *Corpus Juris Civilia*;
    c. le Code de Hammurabi;
    d. le *Juris Categorus* de Draco.

20. La première des alliances contre les «pouvoirs centraux» qui prit fin durant la Première Guerre mondiale est inscrite dans:
    a. le traité défensif entre la Chine et le Japon;
    b. la double alliance du Mexique et des États-Unis;
    c. la double alliance de la France et de la Russie;
    d. le ressentiment de l'Inde envers l'attitude de l'Afrique du Sud concernant la guerre des Boers, et l'alliance subséquente de l'Inde avec le Japon.

21. Les mercantilistes croyaient dans:
    a. l'expansion des pouvoirs fédéraux;
    b. le contrôle des marchands sur les colonies;
    c. l'impôt sur le revenu;
    d. les syndicats structurés.

22. La Proclamation de 1763, aux États-Unis:
    a. interdisait aux colons de s'établir dans les territoires conquis à l'occasion des guerres avec les Français et les Indiens;
    b. encourageait les colons à s'établir dans les territoires conquis à l'occasion des guerres avec les Français et les Indiens;
    c. offrait des incitatifs financiers pour l'établissement de colons dans les territoires conquis dans les guerres avec les Français et les Indiens;
    d. contenait tous les éléments qui précèdent.

23. Quelle proportion de la population des États-Unis était née à l'étranger en 1920:
    a. moins de 5%;
    b. entre 14% et 28%;
    c. 25%;
    d. entre 30% et 50%.

24. Dans l'histoire romaine, une controverse politique fameuse surgit autour du pouvoir relatif des composantes civiles par rapport aux composantes militaires au sein du gouvernement. Sylla défendit la position accordant à l'autorité civile le pouvoir suprême. Son adversaire, qui favorisait l'autorité militaire, était:
    a. Marius;
    b. Cicéron;
    c. Phidias;
    d. Polybe.

25. Les réclamations de l'Alabama :
    a. furent toutes réglées en entier et de façon satis-
       faisante ;
    b. formulaient des revendications contre Jefferson Davis
       pour avoir confisqué toutes les propriétés de l'État en
       temps de guerre ;
    c. étaient les revendications des États-Unis contre la
       Grande-Bretagne ;
    d. étaient les revendications de tous les citoyens de l'Ala-
       bama contre tous les citoyens de la Géorgie.

26. Au cours de la Renaissance italienne :
    a. la papauté accéda au pouvoir politique ;
    b. il y eut de nombreux changements dans le gouver-
       nement ;
    c. la papauté acquit de l'importance dans les affaires
       politiques italiennes ;
    d. il y eut tous les éléments qui précèdent.

27. Dans son appel aux rois d'Europe, l'empereur Fré-
    déric II :
    a. s'attaquait avec vigueur au patriotisme européen ;
    b. affirmait que le patriotisme européen appartenait au
       XIIᵉ siècle et qu'il était démodé ;
    c. s'opposait fermement à la renaissance du patriotisme
       européen ;
    d. défendait toutes les positions qui précèdent.

28. L'auteur de *Monumentum Ancyranum* est :
    a. Vellcius Paterculus ;
    b. Tacite ;
    c. Strabon ;
    d. Auguste.

29. Le XIIᵉ siècle se distingue par un «authentique patriotisme européen» s'exprimant dans:
    a. la poésie épique et lyrique florissante en langue vernaculaire;
    b. une grande loyauté patriotique en l'unité indivise de la chrétienté européenne;
    c. des tentatives récurrentes de créer un monde avec une administration centralisée;
    d. la proposition d'abolir les barrières douanières entre les divers pays de l'époque.

30. Le différend entre la Grande-Bretagne et les États-Unis à propos des frontières du Maine fut réglé par:
    a. le traité de Québec;
    b. le traité de Niagara;
    c. le traité Webster-Ashburton;
    d. le traité Pendleton-Scott.

31. Dans l'affaire Dartmouth College, la Cour suprême des États-Unis décréta:
    a. que les tribunaux n'avaient pas le droit, en toutes circonstances, d'annuler une loi du Congrès;
    b. qu'un État ne pouvait diminuer la portée d'un contrat;
    c. que tout contrat devait agréer à la législature de l'État;
    d. que tout contrat devait inévitablement être approuvé.

32. Le couronnement d'Henri VII marqua la fin:
    a. des Croisades;
    b. de la guerre des Deux-Roses, entre les factions rivales de la noblesse anglaise;
    c. de la guerre de Cent Ans;
    d. de la révolte des paysans.

33. La *Magna Carta* fut signée :
    a. avant l'invasion normande ;
    b. en 1215 ;
    c. au XVIIe siècle ;
    d. vers le milieu du XIVe siècle.

34. En 1912, le Parti progressiste :
    a. favorisait des tarifs protecteurs ;
    b. favorisait un Congrès élu ;
    c. favorisait la création d'une commission tarifaire non
       partisane ;
    d. favorisait la restriction du droit de vote à certaines
       personnes influentes.

35. Les appellations « Cavaliers » et « Têtes rondes – Round-
    heads » furent popularisées aux États-Unis au cours du
    différend entre :
    a. Lincoln et le Congrès ;
    b. Charles Ier et le Parlement ;
    c. les colonies américaines et le Canada ;
    d. les protestants et les juifs.

36. Aux États-Unis, les Scalawags étaient :
    a. des politiciens sudistes égoïstes membres du Parti
       républicain au cours de la Reconstruction de l'Union ;
    b. des nordistes ayant des sympathies sudistes ;
    c. des Noirs ;
    d. des Blancs pauvres purgeant des peines de prison.

37. La première tentative systématique de synthèse alexandrine entre la foi chrétienne et la civilisation grecque fut amorcée à :
    a. Rome ;
    b. Alexandrie ;
    c. Athènes ;
    d. Jérusalem.

38. Le Directoire :
    a. gouverna la France de 1795 à 1799 ;
    b. fut renversé au XIXe siècle ;
    c. constitua le seul gouvernement honnête de la France ;
    d. fut institué après la guerre de Crimée.

39. Aux États-Unis, la loi Bland-Allison :
    a. permettait d'échanger toutes les formes de monnaie contre de l'argent ;
    b. normalisait la valeur de toutes les pièces d'or par rapport à l'argent et au cuivre ;
    c. interdisait l'échange de billets de banque contre de l'argent ;
    d. ordonnait au département du Trésor d'acheter chaque mois une certaine quantité de lingots d'or.

40. La célèbre tapisserie de Bayeux est :
    a. la recréation gigantesque de la *Magna Carta* ;
    b. la représentation à très grande échelle de l'Édit de Nantes ;
    c. une immense illustration de la bataille de Tours
    d. une représentation à grande échelle de la conquête normande de l'Angleterre.

Source: Wayne Weiten, «The TWT: A Scale to Measure Test-wiseness on Multiple-choice Exams with Adults», manuscrit, College of DuPage, 1984. Publié avec l'autorisation du détenteur des droits. Le Dr Weiten enseigne présentement à l'Université de Santa Clara, en Californie.

Résultats du test des aptitudes à passer des tests

1. a	15. d	29. b
2. c	16. a	30. c
3. a	17. a	31. b
4. c	18. a	32. b
5. a	19. c	33. b
6. b	20. c	34. c
7. a	21. b	35. b
8. d	22. a	36. a
9. d	23. c	37. b
10. d	24. a	38. a
11. a	25. c	39. d
12. b	26. d	40. d
13. d	27. d	
14. c	28. d	

Comment vous comparez-vous à d'autres?

Points	Pourcentage
15	15
18	30
22	50
25	70
28	85

À propos de l'aptitude à passer des tests

Très tôt dans la vie, on commence à nous faire passer des tests. Après quelques mois d'apprentissage de la lecture et quelques mois à additionner deux et trois, on nous demande de passer un test pour connaître notre degré de connaissances. Le nombre de tests ne fait qu'augmenter à mesure que l'on progresse à l'école, et le nombre d'examens s'accroît avec la quantité de matières au programme, sans compter une diversité d'examens de niveau normalisés (qui ont apparemment pour but de confirmer les résultats des examens courants). Au moment où l'on arrive à un certain niveau et où l'on est saturé d'examens, il faut affronter celui qui est le plus effroyable de tous, l'examen d'entrée à l'université. Il peut déterminer les quatre années suivantes de notre vie. Mais il y a plus. La situation peut s'aggraver et s'aggrave effectivement. Si vous arrivez à décrocher une note potable dans cet examen, que vous êtes accepté à l'université et que vous adorez les difficultés, vous allez décider de poursuivre vos études jusqu'au troisième cycle. Et c'est là que ça se corse. Selon votre cheminement, vous devrez passer l'examen d'entrée au second cycle, l'examen d'entrée à la Faculté de droit ou l'examen d'entrée à la Faculté de médecine. Ces examens ont le pouvoir d'arrêter net une majorité d'étudiants.

Vous n'avez pas encore fini de passer des examens que vous terminez enfin vos études. La médecine, la vente immobilière, le secteur des assurances et l'assistance sociale ne sont que quelques-uns des domaines où vous devez passer un examen professionnel pour obtenir le droit de pratique. Et même si vous n'avez pas à réussir un examen professionnel, il y a des chances pour que l'entreprise où vous voulez travailler exige que vous réussissiez un test quelconque pour être embauché ou promu. Les tests ne semblent jamais cesser, de sorte qu'il est à votre avantage d'augmenter vos aptitudes à passer des tests.

Si vous êtes comme la plupart des gens, vous n'aimez pas passer des tests. Mais doit-on s'en étonner ? Pour nombre de personnes, les tests semblent constituer davantage des obstacles à franchir que des portes qui s'ouvrent. Après tout, seule une petite minorité de vos confrères de classe vont décrocher un A à l'examen final. Et un très petit nombre d'entre eux vont obtenir des notes assez élevées à l'examen d'entrée à l'université pour pouvoir être acceptés à Harvard. Et encore moins de candidats vont obtenir des notes suffisantes à l'examen d'entrée du second cycle ou à celui de la Faculté de droit pour s'inscrire à l'université de leur choix. Le fait est que l'on vit dans un monde très compétitif, et plus de gens sont déçus que satisfaits des résultats de leurs tests.

Je ne compte plus les étudiants qui m'ont dit au fil des ans quelque chose comme : « Ces examens ne sont pas justes. J'ai de bons résultats dans mes études, et je suis convaincu que je réussirais bien en médecine (ou dans le troisième cycle ou en droit) si seulement on me donnait ma chance. Je n'ai simplement aucun talent pour les examens. » Et ils ont sans doute raison. Il faut du talent pour passer un test, et le Dr Wayne Weiten a constitué cette échelle précisément pour mesurer ce talent. Il a constaté que les points de cette échelle correspondent aux résultats des examens en classe, même si l'on fait abstraction de l'intelligence. On apprendra avec plaisir que ses recherches ont démontré que l'aptitude à passer des tests peut être améliorée par un entraînement assez court. Si vous avez obtenu moins de 85 % dans ce test, vous pourriez apprendre quelque chose de très important en lisant attentivement ce qui suit.

Les gens qui élaborent des tests connaissent les réponses avant de rédiger les items. Sans même qu'ils s'en rendent compte, souvent, la connaissance de la bonne réponse peut leur faire dévoiler des indices menant à la bonne réponse. Les chercheurs ont mis à jour huit défauts courants qui peuvent vous aider à déterminer la bonne réponse, même si vous ne connaissez rien du sujet. Il est vrai que ces défauts se retrouvent davantage dans des examens scolaires ou des tests administrés localement que dans des examens appliqués au niveau national, comme l'examen d'entrée à l'université. Certains des principes élaborés par Weiten peuvent toutefois s'avérer utiles pour la plupart des tests. Voici donc les huit défauts :

1. Les choix incorrects sont fort improbables. Cela est vrai des items 6, 14, 34 et 35. Prenons l'item 14. On ne se souviendrait de personne pour ses réceptions fastueuses durant plus de quelques années, et encore moins pour 2000 ans, de sorte que « a » ne peut être la bonne réponse ; « b » est absurde parce que les gladiateurs possédaient des armes, sans quoi ils n'auraient pas été des gladiateurs. Et « d » n'a pas de sens parce que les partis populaires sont libres d'agir à leur guise sans demander la permission à quiconque. Ce qui ne laisse que « c » comme réponse plausible.

2. Les équivalences ou les contradictions parmi les choix permettent d'éliminer les réponses incorrectes. Cela concerne les items 4, 16, 22 et 27. Appliquons ce principe à

l'item 4. Nous pouvons éliminer les réponses « a » et « b » car elles sont équivalentes, tandis que « d » ne peut être la bonne réponse puisqu'il implique une contradiction. En conséquence, « c » est la seule réponse possible.

3. Des renseignements contenus dans d'autres items fournissent la réponse. Il en est ainsi des items 15, 18, 24, 28 et 30. Des renseignements contenus dans l'item 1, par exemple, donnent la réponse de l'item 15.

4. La bonne réponse est plus détaillée ou spécifique que les autres. C'est le cas pour les items 7, 12, 23, 33 et 38. Il s'agit d'un élément difficile à cerner, car, parfois, les rédacteurs de tests vont essayer de « maquiller » les mauvaises réponses afin de les faire paraître plus plausibles. La bonne réponse se trouvera alors isolée.

5. La bonne réponse sera plus élaborée que toutes les autres. Il en est ainsi pour les items 1, 3, 10, 32 et 36. Les concepteurs vont parfois tellement s'efforcer d'éliminer toute forme d'imprécision de la bonne réponse qu'ils vont être avares de détails dans les mauvaises.

6. Il y a une inconsistance grammaticale entre la proposition de départ et les mauvaises réponses, contrairement au choix possible. Cela s'applique aux items 2, 8, 9, 17 et 40. C'est probablement l'erreur la plus évidente, bien que la moins commune. Mais elle pourrait parfois vous faire dresser l'oreille.

7. Les mauvaises réponses renferment certains mots-clés qui ont tendance à être associés à des propos ou des traits erronés : « chaque », « total », « tout ». On voit cela dans les items 11, 13, 25 et 39. Il y a peu d'absolus sur cette terre. En

conséquence, méfiez-vous des réponses qui vous font croire qu'il en existe. Il y a de fortes chances pour qu'elles soient erronées.

8. Il y a une ressemblance entre la proposition de départ et la bonne réponse, contrairement à ce qui se passe dans les mauvaises réponses. C'est le cas pour les items 5, 19, 21, 29 et 37. Un manque d'attention peut amener le rédacteur à faire usage de mots semblables, et parfois identiques, dans la proposition de départ et la bonne réponse.

Un dernier conseil à propos des tests : si vous ressemblez à la plupart des gens, vous connaissez l'adage qui veut que la première impression soit habituellement la bonne et que, donc, vous ne devriez jamais modifier vos réponses. Eh bien, c'est faux ! Lors d'une étude portant sur les réponses d'étudiants dans des examens d'étape, on a constaté qu'ils avaient presque trois fois plus de chance de substituer une bonne réponse à une mauvaise qu'une mauvaise à une bonne (63 % par rapport à 22 %). Quinze pour cent du temps, ils ont substitué une réponse erronée à une autre réponse erronée.

Ces conseils vous seront particulièrement utiles si vous êtes de ces gens qui semblent toujours se retrouver parmi les cas limites. Une capacité accrue à passer des tests ne va pas faire d'une personne peu douée un étudiant modèle, mais pour ceux dont les résultats se rapprochent trop du minimum requis, cela peut déterminer la différence entre être embauché ou rejeté, ou entre bénéficier d'une promotion ou être ignoré. Rappelez-vous : même si vous ne connaissez pas le sujet traité, vous pouvez trouver un indice de la bonne réponse si vous savez ce que vous devez chercher. Et même si vous ne pouvez éliminer qu'un ou deux choix erronés, vos chances de décrocher la note de passage en seront considérablement améliorées.

DEUXIÈME PARTIE

SAVOIR S'ORGANISER

Cette partie vous renseignera sur votre équilibre personnel. Après avoir complété les cinq tests suivants, vous saurez :

- Si vous êtes satisfait de vous-même.
- Qui, d'après vous, décide de votre sort.
- Quelle est la rationalité de votre vision du monde.
- Le degré d'animation qu'il faut dans votre vie.
- Le sens que vous donnez à votre vie.

ÊTES-VOUS SATISFAIT DE VOUS-MÊME ?

LE QUESTIONNAIRE SUR L'ESTIME DE SOI

INSTRUCTIONS: Cochez chaque proposition de la manière suivante : si la phrase décrit bien comment vous vous sentez habituellement, tracez un crochet dans la colonne «COMME MOI»; si la phrase décrit mal comment vous vous sentez habituellement, tracez un crochet dans la colonne «CONTRAIREMENT À MOI». Il n'y pas de réponse vraie ou fausse. Lisez rapidement chaque énoncé et répondez sur-le-champ, «à chaud». Ne réfléchissez pas trop sur les énoncés.

= moi	≠ moi		
❏	❏	1.	Je passe beaucoup de temps à rêvasser.
❏	❏	2.	Je possède beaucoup d'assurance.
❏	❏	3.	Je voudrais souvent être quelqu'un d'autre.
❏	❏	4.	On m'aime facilement.
❏	❏	5.	Ma famille et moi avons beaucoup de plaisir ensemble.
❏	❏	6.	Je ne me soucie jamais de rien.
❏	❏	7.	Je trouve très difficile de parler devant un groupe.

= moi	≠ moi		
❏	❏	8.	Je voudrais être plus jeune.
❏	❏	9.	Si je le pouvais, j'aimerais changer plusieurs choses chez moi.
❏	❏	10.	Je peux me décider sans trop de difficulté.
❏	❏	11.	On me trouve très agréable à vivre.
❏	❏	12.	Je me fâche facilement à la maison.
❏	❏	13.	Je fais toujours ce qu'il faut faire.
❏	❏	14.	Je suis fier de mon travail.
❏	❏	15.	Quelqu'un doit toujours me dire quoi faire.
❏	❏	16.	Il me faut longtemps pour m'habituer à la nouveauté.
❏	❏	17.	Je regrette souvent les choses que je fais.
❏	❏	18.	Je suis populaire avec les gens de mon âge.
❏	❏	19.	Ma famille tient habituellement compte de mes sentiments.
❏	❏	20.	Je ne suis jamais triste.
❏	❏	21.	J'accomplis mon travail de mon mieux.
❏	❏	22.	J'abandonne très facilement.
❏	❏	23.	Habituellement, je prends soin de moi.
❏	❏	24.	Je suis assez heureux.
❏	❏	25.	Je préfère fréquenter des gens plus jeunes que moi.
❏	❏	26.	Ma famille met de trop grands espoirs en moi.

=	≠
moi	**moi**

= moi	≠ moi	
❏	❏	27. J'aime tous les gens que je connais.
❏	❏	28. J'aime être appelé quand je suis dans un groupe.
❏	❏	29. Je me comprends.
❏	❏	30. Il m'est très difficile d'être moi-même.
❏	❏	31. Ma vie est tout en désordre.
❏	❏	32. Habituellement, les gens suivent mes conseils.
❏	❏	33. À la maison, personne ne se préoccupe vraiment de moi.
❏	❏	34. Je ne me fais jamais réprimander.
❏	❏	35. Je ne fais pas aussi bien que je le voudrais au travail.
❏	❏	36. Je suis capable de me faire une idée et de m'y conformer.
❏	❏	37. Je n'aime pas vraiment être un homme / une femme.
❏	❏	38. J'ai une opinion peu flatteuse de moi-même.
❏	❏	39. Je n'aime pas être en compagnie d'autres gens.
❏	❏	40. Je pense souvent à quitter la maison.
❏	❏	41. Je ne suis jamais gêné.
❏	❏	42. Je me sens souvent fâché.
❏	❏	43. J'ai souvent honte de moi.
❏	❏	44. Je n'ai pas une aussi bonne apparence que la plupart des gens.

= **≠**
moi moi

❏ ❏ 45. Quand j'ai quelque chose à dire, habituellement je le dis.

❏ ❏ 46. Les gens s'en prennent très souvent à moi.

❏ ❏ 47. Ma famille me comprend.

❏ ❏ 48. Je dis toujours la vérité.

❏ ❏ 49. Mon employeur ou mon superviseur me font sentir comme si je n'étais pas à la hauteur.

❏ ❏ 50. Ce qui m'arrive m'indiffère.

❏ ❏ 51. Je suis une nullité.

❏ ❏ 52. Je me fâche rapidement quand on me réprimande.

❏ ❏ 53. La plupart des gens sont plus aimés que moi-même.

❏ ❏ 54. Habituellement, j'ai l'impression que ma famille me pousse dans le dos.

❏ ❏ 55. Je sais toujours quoi dire aux gens.

❏ ❏ 56. Je me décourage souvent.

❏ ❏ 57. On ne peut se fier à moi.

Source : Muriel B. Ryden, « An Adult Version of the Coopersmith Self-Esteem Inventory : Test-retest Reliability and Social Desirability », *Psychological Reports*, nᵒ 43, 1978, p. 1189-1190. Publié avec l'autorisation du détenteur des droits. (L'échelle du Dr Ryden constitue une version d'une échelle conçue par le Dr Stanley Coopersmith pour mesurer l'estime de soi chez les enfants. La version du Dr Ryden a été modifiée pour être utilisée avec des adultes.)

Comment marquer les points
du questionnaire sur l'estime de soi

Pour déterminer votre résultat, comptez le nombre de fois que vos réponses correspondent à celles qui apparaissent ci-dessous. La majorité des items donnent effectivement une mesure de l'estime de soi, mais les huit items apparaissant sous la rubrique «L'échelle du mensonge» ont été conçus pour identifier les personnes qui tentent de se présenter sous un jour meilleur qu'il n'est en réalité.

2. Comme moi
3. Contrairement à moi
4. Comme moi
5. Comme moi
7. Contrairement à moi
8. Contrairement à moi
9. Contrairement à moi
10. Comme moi
11. Comme moi
12. Contrairement à moi
14. Comme moi
15. Contrairement à moi
16. Contrairement à moi
17. Contrairement à moi
18. Comme moi
19. Comme moi
21. Comme moi
22. Contrairement à moi
23. Comme moi
24. Comme moi
25. Contrairement à moi

26. Contrairement à moi
28. Comme moi
29. Comme moi
30. Contrairement à moi
31. Contrairement à moi
32. Comme moi
33. Contrairement à moi
35. Contrairement à moi
36. Comme moi
37. Contrairement à moi
38. Contrairement à moi
39. Contrairement à moi
40. Contrairement à moi
42. Contrairement à moi
43. Contrairement à moi
44. Contrairement à moi
45. Comme moi
46. Contrairement à moi
47. Comme moi
49. Contrairement à moi
50. Contrairement à moi

51. Contrairement à moi
52. Contrairement à moi
53. Contrairement à moi
54. Contrairement à moi

55. Comme moi
56. Contrairement à moi
57. Comme moi
58. Contrairement à moi

L'échelle du mensonge

Les huit items suivants forment l'échelle du mensonge. Pour déterminer votre résultat, faites le compte des fois où vos réponses correspondent à celles qui apparaissent ci-dessous. Si vos points s'élèvent à trois ou plus, vous pourriez trop tenter de faire croire que vous avez une grande estime de vous-même. Conséquemment, vous devriez passer de nouveau le test en vous efforçant d'être plus honnête avec vous-même.

1. Comme moi
6. Comme moi
13. Comme moi
20. Comme moi

27. Comme moi
34. Comme moi
41. Comme moi
48. Comme moi

Comment vous comparez-vous à d'autres ?

Points		Pourcentages
Hommes	*Femmes*	
33	32	15
36	35	30
40	39	50
44	43	70
47	46	85

Quoique les psychologues continuent à débattre de la différence du degré d'estime de soi chez les hommes et les femmes, le fait demeure que les femmes ont souvent des résultats inférieurs aux hommes dans des tests comme celui-ci. Mais on ignore pourquoi.

À propos de l'estime de soi

Les recherches sur l'estime de soi ont en grande partie souffert de leurs succès. Notre degré de satisfaction personnelle s'est avéré associé à tellement de composantes du fonctionnement psychologique que les chercheurs ont perdu, pour la plupart, tout intérêt pour l'estime de soi et se sont tournés vers des variables plus spécifiques de la personnalité. Mais il est un fait que si l'on vous demandait de prévoir le comportement d'une personne dans le plus grand nombre de situations possibles et si vous ne pouviez faire passer à cette personne qu'un seul test psychologique, les renseignements dont vous auriez besoin se retrouveraient sans doute dans son résultat sur l'échelle de l'estime de soi.

L'estime de soi est associée à la faculté d'adaptation globale; ceux qui ont un haut degré d'estime de soi possèdent une faculté d'adaptation globale plus importante que ceux qui ont une estime de soi déficiente. Plus spécifiquement, et en comparaison avec ceux qui en manquent, les personnes ayant une forte estime de soi sont moins angoissées dans diverses situations, et elles ont moins de propension à être déprimées, irritables ou agressives. Les personnes déficientes à ce chapitre ont davantage tendance à souffrir d'un sentiment d'aigreur, d'aliénation et de chagrin. Elles ont aussi tendance à souffrir d'insomnie et de symptômes psychosomatiques.

L'estime de soi a surtout tendance à s'exprimer dans les relations interpersonnelles. Les gens qui ont une bonne opinion d'eux-mêmes ont tendance à aimer les autres et à accepter leurs faiblesses. En raison des sentiments positifs qu'ils entretiennent envers les autres et de leur acceptation d'autrui, ces gens ont tendance à faire ressortir le meilleur de leur entourage. Un cliché qui contient bien plus qu'une parcelle de vérité veut qu'une personne qui se sent bien dans sa peau fait en sorte que les autres se sentent bien dans leur peau. Naturellement, cette qualité rend ces gens très fascinants, et des gens ont tendance à graviter autour d'eux à la fois dans leur environnement social et professionnel.

Bien qu'on n'utilise guère le terme « estime de soi » dans nos conversations quotidiennes, on connaît bien la notion de complexe d'infériorité, qu'il est possible d'assimiler à une estime de soi très déficiente. Le psychologue Don Hamachek, auteur d'un merveilleux livre sur l'estime de soi, fait ressortir sept indices d'un complexe d'infériorité. Les voici :

1. *Sensibilité à la critique.* Quoique les gens qui se sentent inférieurs « savent » qu'ils ont des défauts, ils n'aiment pas que les autres les leur signalent. Ils ont tendance à percevoir toute forme de critique, quelles que soient la courtoisie de sa formulation ou son aspect constructif, comme une attaque personnelle. Il faut plaindre le pauvre patron qui a un employé souffrant d'un complexe d'infériorité.

2. *Réaction inappropriée à la flatterie.* Cette caractéristique peut s'exprimer de deux façons. Certaines personnes veulent désespérément attirer des remarques positives sur elles-mêmes et elles seront toujours en quête de compliments. D'autres peuvent refuser d'entendre tout éloge qu'on pour-

rait leur faire, car cela ne cadre pas avec leurs propres sentiments.

3. *Attitude hypercritique.* Les gens qui ne s'estiment guère eux-mêmes ont de la difficulté à avoir de l'estime pour les autres. Ils s'efforcent de trouver la petite bête noire et les défauts chez autrui afin de se convaincre qu'ils ne sont pas tout compte fait si mal foutus. Ces personnes ne peuvent se sentir intelligentes, séduisantes, compétentes, et ainsi de suite, à moins d'être la personne la plus intelligente, séduisante, compétente.

4. *Tendance au blâme.* Certaines personnes projettent les faiblesses qu'elles ressentent sur les autres pour diminuer le déplaisir de se sentir inférieur. Il ne faut qu'un pas de plus pour blâmer les autres de ses propres échecs.

5. *Sentiment de persécution.* Porté à ses conséquences extrêmes, le blâme des autres peut aller jusqu'à croire que des gens cherchent activement à vous perdre. Si un homme est remercié de ses services, par exemple, il pourrait être réconfortant pour lui de croire que son patron en avait contre lui. Cela lui permet de ne pas assumer la responsabilité de son échec.

6. *Sentiments négatifs envers la concurrence.* Les gens qui se sentent inférieurs aiment autant gagner que n'importe qui dans des jeux ou des concours. Ils ont toutefois tendance à ne pas s'y risquer parce qu'au fond d'eux-mêmes, ils sont convaincus qu'ils ne peuvent gagner. Et ne pas sortir gagnant est bien évidemment à leurs yeux un signe sans équivoque d'échec.

7. Tendance à l'isolement et à la timidité. Comme les personnes souffrant d'un complexe d'infériorité croient qu'ils ne sont pas aussi intelligents ou intéressants que d'autres, ils pensent que les gens vont penser la même chose d'eux. Ils vont donc être portés à éviter les rapports sociaux, et quand ils seront forcés de côtoyer d'autres gens, ils éviteront de parler, croyant que cela ne fera que mettre en relief leur manque d'intelligence et de personnalité. Celui qui a inventé l'adage : « Il vaut mieux rester muet et être considéré comme fou que de parler et dissiper tout doute » donne un portrait fidèle des gens qui souffrent d'un complexe d'infériorité.

Si vous avez obtenu un très bon résultat dans ce questionnaire, n'en soyez pas trop fier. Il se pourrait que ceux qui présentent une très haute estime d'eux-mêmes compensent pour une perception personnelle déficiente. Nous avons tous connu des gens comme cela. Ils semblent transpirer la confiance en eux jusqu'à en être arrogant, mais ils montrent tous les signes d'une estime de soi défaillante. Ils ne toléreront aucune allusion au fait qu'ils ne sont pas parfaits, ils ont une propension à critiquer férocement les autres, et semblent avoir besoin de témoigner de leurs qualités au monde entier. Il appert que les personnes ayant une estime moyenne d'eux-mêmes sont les plus équilibrées. Ceux qui possèdent une estime très élevée et très marquée d'eux-mêmes se prennent tellement au sérieux qu'ils ne peuvent supporter quelque faiblesse que ce soit.

Si vous n'avez pas obtenu de bonnes notes dans ce questionnaire, ça ne veut pas dire que vous serez confiné à une vie de misère et de doute. Rappelez-vous tout d'abord que ce test, comme tous les autres tests de ce livre, a été conçu en fonction d'une population normale. Il n'a pas été élaboré pour déceler une maladie mentale. Deuxièmement, nombre de gens deviennent plus conciliants envers eux-mêmes à mesure qu'ils vieillissent et s'aperçoivent par expérience qu'après tout, ils ne sont pas si dépourvus que ça.

Vous pouvez améliorer votre estime personnelle en essayant consciemment de vous féliciter pour les bonnes actions que vous faites. Et souvenez-vous que vous n'êtes pas obligé d'arriver le premier pour vous sentir fier de vos accomplissements.

QUI DÉCIDE DE VOTRE DESTIN ?

L'ÉCHELLE DE L'INTÉRIORITÉ,
DE LA CHANCE ET DES DOMINANTS

INSTRUCTIONS : Vous trouverez ci-dessous des énoncés sur l'attitude. Chacun correspond à une opinion courante. Il n'y a pas de bonne ou de mauvaise réponse. Vous allez probablement tomber d'accord avec certains items et être en désaccord avec d'autres. Lisez attentivement chaque énoncé, puis indiquez jusqu'à quel point vous êtes en accord ou en désaccord en suivant les indications plus bas. La première opinion est habituellement la bonne. Lisez chaque proposition, décidez si vous êtes d'accord ou non et précisez la force de votre conviction en apposant le chiffre correspondant à votre réponse.

1 : Fortement en désaccord
2 : Assez en désaccord
3 : Un peu en désaccord
4 : Un peu en accord
5 : Assez en accord
6 : Fortement en accord

☐ 1. Que je devienne ou non un chef de file dépend de mes capacités.

☐ 2. Ma vie est en grande partie contrôlée par des événements hasardeux.

☐ 3. J'ai l'impression que les événements de ma vie sont en grande partie déterminés par des gens puissants, dominants.

☐ 4. Mes capacités de conducteur déterminent la probabilité que je sois impliqué ou non dans un accident de la route.

☐ 5. Quand j'élabore des projets, je suis à peu près certain de les mener à terme.

☐ 6. Il n'y a souvent aucune possibilité de sauvegarder mes intérêts personnels contre la malchance.

☐ 7. Quand j'obtiens ce que je désire, c'est habituellement parce que j'ai de la chance.

☐ 8. Bien que j'aie de bonnes aptitudes, je n'obtiendrai pas de poste de responsabilité sans faire appel à des gens influents.

☐ 9. La quantité d'amis que j'ai dépend de ma gentillesse.

☐ 10. Je me suis aperçu que ce qui doit arriver arrive.

☐ 11. Ma vie est en grande partie contrôlée par des gens dominants.

☐ 12. Ce n'est qu'une question de chance que je sois ou non impliqué dans un accident de voiture.

☐ 13. Des gens comme moi ont très peu de chances de protéger leurs intérêts personnels quand ils entrent en conflit avec les intérêts de puissants groupes de pression.

☐ 14. Il ne serait pas sage de ma part d'élaborer des projets trop longtemps à l'avance car nombre de choses dépendent de la chance ou de la malchance.

☐ 15. Pour obtenir ce que je désire, je dois plaire à des gens au-dessus de moi.

☐ 16. Que je devienne ou non un chef de file dépend de mes chances de me trouver au bon endroit au bon moment.

☐ 17. Si des gens influents ne m'aimaient plus, je ne me ferais sans doute pas beaucoup d'amis.

☐ 18. Je peux assez bien décider de ce qui va se produire dans ma vie.

☐ 19. Je suis habituellement capable de protéger mes intérêts personnels.

☐ 20. Le fait que je sois impliqué dans un accident de voiture dépend en grande partie des autres conducteurs.

☐ 21. Quand j'obtiens ce que je désire, c'est habituellement parce que j'ai travaillé fort pour l'obtenir.

☐ 22. Pour concrétiser mes projets, je m'assure qu'ils sont conformes aux désirs des gens qui exercent leur autorité sur moi.

☐ 23. Ma vie est déterminée par mes propres actions.

☐ 24. Que j'aie peu ou beaucoup d'amis dépend principalement du destin.

Source : Hanna Levenson, « Distinctions Within the Concept of Internal-external Control : Development of a New Scale », article présenté à l'American Psychological Association, 1972. Publié avec l'autorisation du détenteur des droits.

Comment marquer les points sur l'échelle de l'intériorité, de la chance et des dominants

Comme son nom le suggère, trois catégories sont comprises dans ce test: l'intériorité, la chance et les dominants. Pour déterminer votre résultat sur l'échelle de l'intériorité, additionnez les points obtenus aux items 1, 4, 5, 9, 18, 19, 21 et 23. Vous obtiendrez votre résultat sur l'échelle des dominants en additionnant les points des items 3, 8, 11, 13, 15, 17, 20 et 22. Et finalement, le résultat de l'échelle de la chance s'obtient en additionnant les notes des items 2, 6, 7, 10, 12, 14, 16 et 24.

Un résultat élevé sur l'échelle de l'intériorité correspond à la conviction que les efforts déployés peuvent influer sur le cours des événements. Un résultat élevé dans l'échelle des dominants souligne la conviction que votre sort dépend des « personnes dominantes » tandis qu'une haute note sur l'échelle de la chance marque la conviction que les événements de la vie sont déterminés par la chance.

Comment vous comparez-vous à d'autres?

	Résultats		Pourcentage
	Hommes	*Femmes*	
L'intériorité	26	26	15
	29	29	30
	32	32	50
	35	35	70
	38	38	85

Les dominants	9	7	15
	13	10	30
	17	14	50
	21	18	70
	25	21	85
La chance	7	6	15
	11	10	30
	15	13	50
	19	16	70
	23	20	85

Comme vous le constatez d'après les normes, les hommes et les femmes sont très semblables pour ce qui est de la conviction selon laquelle leurs efforts personnels déterminent leur sort, mais les hommes davantage que les femmes ont tendance à croire que la puissance d'autrui et la chance peuvent influer sur leur vie.

À propos de l'intériorité

Qui détermine votre sort? Ou, pour être plus précis, qui, *croyez-vous*, détermine votre sort? C'est là la question à laquelle tentent de répondre les échelles de l'intériorité, du pouvoir d'autrui et de la chance. Ce test est en fait une version améliorée d'une échelle de personnalité conçue par Julian Rotter et appelée l'Échelle du point de contrôle interne-externe. Laissez-moi aborder succinctement le sujet des internes et des externes avant de retourner à l'interprétation de Levenson de cette caractéristique de la personnalité.

Rotter croit que l'une des dimensions distinguant les gens est le degré de contrôle qu'ils pensent exercer sur les événements qui façonnent leur vie. Ceux qui sont convaincus que leurs efforts changent quelque chose, autrement dit qu'en faisant les efforts requis, ils réussiront à accomplir le travail, ou à conquérir la femme convoitée, ou à atteindre l'objectif qu'ils se sont fixé, sont appelés des internes. Ceux qui sont convaincus que tout ce qu'ils pourraient accomplir ne susciterait guère de différence, qu'ils sont des pions manipulés par le destin, la chance ou le pouvoir capricieux des autres, sont qualifiés d'externes. Internes et externes se distinguent de plusieurs manières significatives. En général, les internes sont plus dynamiques, éveillés et appliqués dans leurs tentatives pour diriger et contrôler leur monde. Les externes sont portés à croire que rien de ce qu'ils pourraient accomplir ne changera quelque chose. Ils n'ont d'autre choix que de prendre ce que le destin daigne leur apporter. Témoignant de l'importance de cette dimension de la personnalité, une recherche a démontré que des internes tuberculeux avaient une meilleure connaissance de leur condition, déployaient davantage d'énergie pour se maintenir en santé, et réussissaient mieux en fait à ce chapitre que les patients externes. L'échelle de Levenson ressemble beaucoup à l'Échelle du point de contrôle interne-externe originale, sauf qu'elle divise les externes en deux sous-groupes : ceux qui croient que leur sort est contrôlé par les dominants et ceux qui croient que leur sort est contrôlé par la chance. Ces deux sous-groupes possèdent un point externe de contrôle.

Les externes qui se méritent des notes élevées dans les échelles des dominants et de la chance n'ont pas beaucoup

d'atouts. Ils sont portés à être névrosés, pleins de ressentiment, méfiants, irritables, déprimés et à avoir une piètre
estime d'eux-mêmes. Cela ne veut pas dire que les internes
ne peuvent pas souffrir de problèmes psychologiques, car ils
en sont affectés, mais les externes sont portés à percevoir le
monde comme un lieu hostile et menaçant, et ils ont tendance à croire que rien qu'ils puissent faire y changera
quelque chose. Il s'agit là d'une vision épouvantable du
monde.

Un aspect intéressant des internes et des externes est que
leur point de contrôle peut basculer selon certaines circonstances. Imaginez qu'on vous demande d'accomplir une
tâche qui ne vous est pas familière, faire une anagramme,
par exemple. On vous propose un groupe de lettres comme
« odgo » en vous demandant de les remettre en ordre de
façon à former un mot. Quand vous avez fini, on vous dit
que vous avez obtenu une très haute note. Quel commentaire faites-vous à propos de votre résultat ? Les internes, qui
ont une haute estime d'eux-mêmes, vont sans doute se dire
quelque chose comme : « Ça ne me surprend pas ; je suis
une personne intelligente et je sais faire usage des mots » ou
« Eh bien, j'ai fait mon possible pour donner le meilleur de
moi-même ». Les externes, par contre, vont peut-être dire
quelque chose comme : « C'était probablement un test
facile » ou « J'ai eu de la chance ». Les externes semblent
incapables d'accepter le mérite de leurs réussites. Par contre,
ils sont capables d'assumer le blâme pour leurs échecs. Si on
leur dit qu'ils ont mal accompli la tâche, ils vont sans doute
répliquer : « Eh bien, je ne suis pas bon dans ce genre de
chose. » Les internes, au contraire, quand ils échouent,
modifient exceptionnellement leur point de contrôle parti-

culier. Ainsi, un interne répliquerait ceci, par exemple, à quelqu'un qui lui dirait qu'il n'a pas bien réussi la tâche : « Eh bien, elle était trop difficile pour que quiconque puisse réussir » ou « Vous ne m'avez pas accordé assez de temps ». Conséquemment, les internes ont tendance à sauvegarder leur maîtrise puisqu'ils ont la conviction d'être à l'origine des événements heureux qui leur arrivent, tandis que les externes sombrent toujours plus profondément dans le découragement de ne pouvoir susciter aucun événement heureux.

Une autre conséquence intéressante de cette variable du point de contrôle concerne les stratégies décisionnelles. En guise d'illustration, prenons le cas de Jim, libre comme l'air, fraîchement arrivé en ville et qui cherche à faire des rencontres féminines pour mieux s'intégrer à la communauté. Il décide de se rendre dans un bar pour gens seuls et de mettre en pratique ses connaissances en matière de drague. Par trois fois, il repère de jolies candidates, se dirige vers elles et dit : « Salut, je m'appelle Jim. Quel est votre signe ? » Et par trois fois, on lui dit de faire de l'air. Si Jim est un interne, il va sans doute tenir compte de ses revers et modifier sa stratégie. Il constate que sa manière de faire a échoué, et qu'il doit tenter autre chose. Mais si Jim est un externe, il pourra fort bien approcher une quatrième femme et demander encore : « Quel est votre signe ? »

Les internes ont tendance à conserver une bonne stratégie et à abandonner celle qui échoue. Les externes, par contre, risquent de modifier leur stratégie après avoir réussi et à conserver celle qui échoue. C'est comme s'ils se disaient : « Bon, ça n'a pas réussi cette fois. Mais la prochaine fois devrait être la bonne. » On dit que les externes souffrent de l'illusion du parieur, à savoir que s'ils lancent dix fois de suite une pièce de monnaie en l'air et qu'elle retombe chaque fois du côté face, la fois suivante, ce sera le côté pile qui apparaîtra. Les types internes vont se demander si la pièce ne comprend pas deux côtés face.

Comme pour tout caractère de la personnalité, les types internes et externes acquièrent ces traits distinctifs lors de leur développement. Il est toujours difficile de modifier un comportement acquis au cours de toute une vie. Or si votre résultat est médiocre sur l'échelle de l'intériorité et élevé sur les deux autres échelles, il va falloir déployer beaucoup d'effort pour changer, mais vous pouvez y arriver si vous le voulez! La chance ou le pouvoir de gens voulant vous assujettir n'ont rien à y voir. Si vous vous surprenez à penser que vous ne pouvez rien changer à votre situation, arrêtez-vous et efforcez-vous de penser aux gens qui ont affronté des circonstances semblables aux vôtres, et qui ont été capables de changer grâce à leurs efforts. Pensez à des stratégies spécifiques que vous pourriez appliquer. Demandez à des amis ce que vous pourriez faire. Pensez aux fois où vos efforts ont abouti à la réussite, et rappelez-vous souvent de ces occasions. En fait, si certaines choses sont complètement hors de notre contrôle, par contre, le fait de croire que nos efforts peuvent porter fruit nous ouvre la voie à une vie plus heureuse et gratifiante.

VOTRE VISION DU MONDE EST-ELLE RATIONNELLE ?

LE QUESTIONNAIRE SUR LE COMPORTEMENT RATIONNEL

INSTRUCTIONS : Pour chacun des énoncés qui suivent, choisissez parmi le choix proposé la réponse qui correspond le mieux à votre opinion. Ne prenez pas trop de temps et répondez à chacune des questions.

5 : Fortement en désaccord.
4 : En désaccord.
3 : Indifférent.
2 : En accord.
1 : Fortement en accord.

☐ 1. Aider les autres est à la base même de la vie.

☐ 2. Il est nécessaire d'être très amical avec les nouveaux collègues et voisins.

☐ 3. Les gens devraient davantage se conformer à la morale qu'ils s'y conforment en réalité.

☐ 4. Je trouve difficile d'essuyer la critique sans me sentir blessé.

☐   5. Je passe souvent plus de temps à essayer de trouver des moyens de ne pas accomplir les choses qu'il ne m'en faudrait pour les accomplir.

☐   6. Je suis porté à me mettre dans une grande colère et à me sentir mal à l'aise si les choses ne sont pas faites à ma manière.

☐   7. Il n'est jamais possible de changer ses émotions.

☐   8. C'est un péché de douter de la Bible.

☐   9. La sympathie est la plus belle émotion humaine.

☐   10. Je crains de devoir affronter une crise ou une difficulté.

☐   11. Je m'énerve ou je suis bouleversé souvent quand les choses vont mal.

☐   12. On devrait refuser de faire des choses, aussi nécessaires soient-elles, s'il est désagréable de les faire.

☐   13. Je suis contrarié quand des voisins sont très durs avec leurs jeunes enfants.

☐   14. On doit s'attendre à ce qu'il n'y ait pas d'incompatibilité dans le mariage.

☐   15. Je suis souvent insatisfait de mon apparence.

☐   16. Une personne devrait être totalement compétente, adaptée, accomplie et intelligente sous tous rapports.

☐   17. Le plus important est ce que les autres pensent de vous.

☐   18. Les gens devraient nous rendre la vie facile, et apporter leur aide dans les épreuves de la vie.

☐ 19. Je m'attends à ce que les autres considèrent un comportement comme bon ou mauvais.

☐ 20. Je constate que mon travail et ma vie sociale ont tendance à me rendre malheureux.

☐ 21. J'évite habituellement d'accomplir des tâches que je n'apprécie pas.

☐ 22. Certains membres de ma famille ou amis ont des habitudes qui me dérangent et m'ennuient beaucoup.

☐ 23. Je suis porté à me tracasser à propos d'accidents ou de désastres possibles.

☐ 24. J'aime me sentir seul responsable.

☐ 25. Je suis très contrarié et malheureux quand les choses ne vont pas à ma manière.

☐ 26. Je m'inquiète passablement de malheurs possibles.

☐ 27. Se punir pour toutes les erreurs fera éviter des erreurs futures.

☐ 28. On peut le mieux aider les autres en les critiquant et en pointant sévèrement les erreurs dans leurs agissements.

☐ 29. Se tracasser d'un danger possible aidera à le faire disparaître ou à diminuer ses effets.

☐ 30. Je me tracasse à propos de petites choses.

☐ 31. Certaines personnes sont méchantes, mauvaises ou perfides et devraient être sévèrement blâmées et punies pour leurs péchés.

☐ 32. Un très grand nombre de gens ont des comportements sexuels répréhensibles.

☐ 33. On devrait se blâmer soi-même sévèrement pour toutes les fautes et les méfaits.

☐ 34. Cela me rend très inconfortable d'être différent.

☐ 35. Je me tracasse à propos de malheurs possibles.

☐ 36. Je préfère ne pas être dépendant des autres quand je prends des décisions.

☐ 37. Parce qu'une chose a fortement affecté la vie de quelqu'un, elle devrait l'affecter indéfiniment.

Source : Clayton T. Shorkey et Victor L. Whiteman, « Development of the Rational Behavior Inventory : Initial Validity and Reliability », *Educational and Psychological Measurement*, n° 37, 1977, p. 527-534. Publié avec l'autorisation du détenteur des droits.

Comment marquer les points du questionnaire sur le comportement rationnel

Les auteurs de cette échelle ont déterminé ce qu'ils appellent des notes de « démarcation ». Si le chiffre correspondant à un item est égal ou supérieur à la note de démarcation, accordez-vous 1 point pour cet item. Si votre chiffre est moins élevé que la note de démarcation, accordez-vous 0. Par exemple, si vous avez apposé 4 ou 5 au premier item, vous allez vous accorder 1 point pour cet item. Si vous avez mis 1, 2 ou 3, vous vous accorderez la note 0 pour cet item. Voici les notes de démarcation pour ce test :

1. 4	5. 3	9. 4
2. 4	6. 3	10. 3
3. 3	7. 3	11. 3
4. 4	8. 3	12. 3

13. 4	22. 4	31. 4
14. 3	23. 3	32. 3
15. 4	24. 4	33. 3
16. 4	25. 3	34. 3
17. 3	26. 3	35. 3
18. 3	27. 3	36. 3
19. 3	28. 3	37. 3
20. 3	29. 3	
21. 4	30. 4	

Vous devez faire une dernière chose avant de calculer votre résultat final. Les items 24 et 36 doivent être comptés en sens inverse; en conséquence, si vous vous êtes accordé 1 pour l'un quelconque de ces deux items, modifiez-le pour un 0, et si vous vous êtes accordé un 0, donnez-vous 1. Après avoir accompli cela, additionnez tous les 1 pour obtenir votre marque finale.

Comment vous comparez-vous à d'autres ?

Résultat	Pourcentage
22	15
24	30
26	50
28	70
30	85

Les gens qui ont des résultats élevés sur cette échelle sont portés à avoir une vision du monde logique et rationnelle. Ceux qui se méritent une note faible ont tendance à accepter d'emblée diverses opinions d'autrui.

À propos du comportement rationnel

Le questionnaire sur le comportement rationnel a été élaboré par des psychothérapeutes désirant mesurer la rationalité du comportement de leurs clients. Il s'inspire d'un type particulier de psychothérapie, soit la Thérapie rationnelle émotive telle qu'élaborée par Albert Ellis. Ellis est d'avis que les gens ont des problèmes parce qu'ils sont illogiques ou irrationnels. La thérapie a donc pour objectif d'aider les gens à se débarrasser de leur vieille vision irrationnelle du monde et à adopter une approche plus scientifique et rationnelle de la vie.

En guise d'exemple, on peut imaginer un homme qui se soumet à une thérapie parce qu'il est déprimé. Le thérapeute lui demande pourquoi et le patient répond : « Je suis déprimé parce que ma femme m'a quitté. » Pour arriver au cœur de la question, le thérapeute réplique à peu près ceci : « Vous n'êtes pas déprimé parce que votre femme vous a quitté, vous êtes déprimé par ce que vous vous dites à vous-même parce que votre femme vous a quitté. Vous vous dites que c'est terrible que votre femme vous ait quitté, que cela prouve que vous avez échoué comme homme et comme époux. » Le client s'objecterait probablement au début, mais l'idée que veut faire comprendre le thérapeute, c'est que les gens n'ont pas de réactions émotives à cause de ce qui leur arrive. Leurs réactions émotives proviennent des pensées qu'ils ont sur ce qui leur arrive. Parce que le client est déprimé, il se tient à lui-même des propos irrationnels, illogiques sur le départ de sa femme.

Dans une telle situation, le travail du thérapeute consiste à montrer au patient à avoir des pensées plus rationnelles et logiques à propos du départ de sa femme. Il pourrait suggérer au patient de se dire : « C'est dommage que ma femme m'ait quitté. J'étais très attaché à elle. Mais il y a des tas de femmes dans le monde que je pourrais aimer, et qui seraient à même d'apprécier mes bonnes qualités. D'ailleurs, le départ de ma femme est une bonne occasion de procéder à une introspection afin que ma prochaine relation puisse mieux réussir. »

Ellis est convaincu que rien de ce qui nous arrive n'est catastrophique ou horrible. Des tas d'événements sont « malheureux » ou « regrettables » mais nous souffrons d'anxiété et de dépression seulement parce que nous nous convainquons que ces événements « malheureux » sont catastrophiques. Ellis identifie un certain nombre d'idées irrationnelles qui, d'après lui, ont tendance à être associées à des troubles psychologiques, et les items contenus dans le questionnaire sur le comportement rationnel rend compte de ces idées. Voici quelques exemples de celles-ci :

1. Il faut avoir l'amour et l'approbation de tous ceux qui ont une importance dans notre vie.
2. Il faut être parfaitement compétent, adapté et accompli dans tout ce qu'on réalise.
3. Les gens qui se comportent mal envers nous sont mauvais, méchants ou perfides et méritent d'être sévèrement punis.
4. Il n'est pas possible de contrôler ses sentiments quand des événements malheureux se produisent.
5. Quand quelque chose est dangereux ou effrayant, il faut s'en préoccuper et en être bouleversé.
6. Il est plus facile d'éviter que d'affronter les difficultés de la vie.

7. La vie de quelqu'un est déterminée par son passé, et il est impossible d'y changer quoi que ce soit.
8. Tous les problèmes ont de bonnes solutions.

Le type de psychothérapie d'Ellis peut ne pas convenir à tout le monde, mais il est efficace. Diverses études ont prouvé que des gens qui souffrent de troubles névrotiques voient leurs problèmes atténués après avoir suivi une thérapie rationnelle émotive.

Quoique les techniques d'Ellis puissent être efficaces, ses prémisses ont été mises en doute par ses collègues. Au risque de me répéter, Ellis croit que les gens seraient plus heureux si leurs pensées étaient plus rationnelles et logiques, mais on constate que des personnes très heureuses et productives peuvent être assez irrationnelles et illogiques. Les thérapeutes ont mis en lumière de nombreux cas de gens dont les fantasmes constituent précisément ce qui les empêche d'avancer. Par exemple, je connais une jeune femme souffrant d'une maladie qui risque de lui coûter la vie dans quelques années, mais elle continue d'agir comme une bonne mère et une bonne épouse. Il y a des moments où elle se sent passablement déprimée, mais elle trouve en grande partie de la joie dans ses activités quotidiennes. Ce qui lui permet de continuer est sa conviction que les traitements vont porter fruit et qu'elle va pouvoir vaincre la maladie. Il peut ne pas être logique ou rationnel d'entretenir de telles convictions, mais elles aident certainement à améliorer sa qualité de vie pour le temps qui lui reste. Quelques études démontrent en fait que les personnes déprimées souffrent de moins de déformations que les gens heureux.

Cela dit, j'aime l'approche d'Ellis et j'en ai fait usage dans ma pratique. Mais il faut se rappeler que les items du questionnaire sur le comportement rationnel transcrivent une façon de voir et non une vérité absolue sur la meilleure manière de gouverner sa vie. Si vous souffrez de dépression ou d'anxiété et que vous obtenez un résultat sous les 50 %, vous feriez bien d'utiliser ce test pour remettre en cause vos propres convictions. Mais si vous êtes fondamentalement satisfait de votre vie, vous pouvez sûrement trouver votre propre formule du bonheur.

À QUEL POINT AVEZ-VOUS BESOIN D'ÊTRE STIMULÉ?

L'ÉCHELLE DE RECHERCHE DE SENSATIONS

INSTRUCTIONS : Chacun des items ci-dessous présente deux choix, A et B. Encerclez la lettre qui correspond le mieux à vos préférences ou à ce que vous ressentez.

1. A. J'aime les fêtes où on s'amuse ferme, sans retenue.
   B. Je préfère les fêtes tranquilles où on s'engage dans de bonnes conversations.

2. A. Il y a des films que j'aime revoir deux ou même trois fois.
   B. Je ne peux supporter de revoir un film que j'ai déjà vu.

3. A. Je voudrais être alpiniste.
   B. Je ne peux comprendre les gens qui risquent leur vie à gravir des montagnes.

4. A. Je déteste toutes les formes d'odeurs corporelles.
   B. J'aime certaines odeurs dégagées par le corps.

5. A. Je m'ennuie à force de voir toujours les mêmes visages.
   B. J'aime l'agréable familiarité des amis ordinaires.

6. A. J'aime explorer seul une ville qui ne m'est pas familière ou un quartier d'une ville, même si je m'y perds.

   B. Je préfère être accompagné d'un guide pour visiter un lieu qui ne m'est pas familier.

7. A. Je déteste les gens qui disent des choses seulement pour choquer ou contrarier les autres.

   B. Si vous pouvez prévoir tout ce qu'une personne dit ou fait, c'est qu'elle doit être ennuyeuse.

8. A. Je n'aime pas habituellement un film ou une pièce de théâtre dont je peux prévoir les péripéties.

   B. Ça ne me dérange pas de regarder un film ou d'assister à une pièce de théâtre dont je peux prédire les péripéties.

9. A. J'ai fumé ou j'aimerais fumer de la marijuana.

   B. Je ne fumerai jamais de la marijuana.

10. A. Je n'aimerais pas prendre toute drogue pouvant produire des effets étranges et dangereux chez moi.

    B. J'aimerais prendre certaines des nouvelles drogues hallucinogènes.

11. A. Une personne raisonnable évite les activités dangereuses.

    B. J'aime parfois faire des choses un peu risquées.

12. A. Je déteste les échangistes (les gens qui pratiquent l'amour libre et sans retenue).

    B. J'aime être en compagnie d'échangistes.

13. A. Je constate que les stimulants me mettent mal à l'aise.

    B. J'aime souvent me donner du bon temps (en buvant de l'alcool ou en fumant de la marijuana).

14. A. J'aime manger des mets que je n'ai jamais goûtés auparavant.

B. Je commande des mets que je connais afin d'éviter déceptions et désagréments.

15. A. J'aime regarder des vidéos amateurs ou des diapositives de voyage.

B. Regarder des vidéos amateurs ou des diapositives de voyage m'ennuie profondément.

16. A. J'aimerais apprendre à faire du ski nautique.

B. Je n'aimerais pas apprendre à faire du ski nautique.

17. A. J'aimerais apprendre à *surfer*.

B. Je n'aimerais pas apprendre à *surfer*.

18. A. J'aimerais partir en voyage sans trajet ou calendrier prédéterminés.

B. Quand je pars en voyage, j'aime déterminer minutieusement le trajet et le calendrier.

19. A. Je préfère avoir des amis du genre terre à terre.

B. J'aimerais me faire des amis dans les groupes « marginaux » comme chez les artistes ou les « punks ».

20. A. Je n'aimerais pas apprendre à piloter un avion.

B. J'aimerais apprendre à piloter un avion.

21. A. Je préfère la surface de l'eau aux profondeurs.

B. J'aimerais pratiquer la plongée sous-marine.

22. A. J'aimerais rencontrer des personnes homosexuelles (hommes ou femmes).

B. Je me tiens loin de quiconque je soupçonne d'être homosexuel.

23. A. J'aimerais essayer le saut en parachute.

B. Je n'aimerais pas essayer de sauter d'un avion, avec ou sans parachute.

24. A. Je préfère les amis délicieusement imprévisibles.

B. Je préfère les amis fiables au comportement prévisible.

25. A. Je ne suis pas intéressé à m'adonner à des expériences pour le plaisir de m'y adonner.

B. J'aime m'adonner à de nouvelles expériences et émotions emballantes même si elles sont un peu apeurantes, non conventionnelles ou illégales.

26. A. L'essence de l'art véritable est la clarté, la symétrie des formes et l'harmonie des couleurs.

B. Je trouve de la beauté dans les couleurs criardes et les formes irrégulières de la peinture moderne.

27. A. J'aime passer du temps dans l'entourage familier du foyer.

B. Ça me fatigue de rester près de la maison trop longtemps.

28. A. J'aime plonger d'un tremplin.

B. Je n'aime pas ce que je ressens quand je me retrouve sur un tremplin (ou je m'en tiens loin).

29. A. J'aime sortir avec des membres du sexe opposé qui sont physiquement attirants.

B. J'aime sortir avec des membres du sexe opposé qui partagent mes valeurs.

30. A. Trop boire gâche la fête parce que les gens haussent le ton et deviennent turbulents.

B. Garder les verres bien remplis assure la réussite d'une fête.

31. A. La pire faute sociale est l'impolitesse.

B. La pire faute sociale consiste à être ennuyeux.

32. A. Une personne devrait avoir eu plusieurs expériences sexuelles avant le mariage.

    B. Deux personnes mariées devraient avoir amorcé leurs expériences sexuelles ensemble.

33. A. Même si j'avais de l'argent, je ne fréquenterais pas des gens effrontément riches comme ceux qui font partie du jet set.

    B. Je me perçois bien en tant que membre du jet set parcourant le monde à la recherche de plaisirs.

34. A. J'aime les gens éveillés et pleins d'esprit, même si parfois ils insultent les autres.

    B. Je déteste les gens qui s'amusent au détriment d'autrui.

35. A. Somme toute, la sexualité est beaucoup trop présente au cinéma.

    B. J'aime regarder les scènes érotiques au cinéma.

36. A. Je me sens à mon meilleur après avoir bu un ou deux verres.

    B. Quelque chose cloche avec les gens qui ont besoin d'alcool pour se sentir bien.

37. A. Les gens devraient s'habiller selon des normes de goût, de propreté et de style.

    B. Les gens devraient s'habiller de manière distinctive même si l'effet est parfois incongru.

38. A. Il est téméraire de naviguer très loin sur un voilier.

    B. J'aimerais naviguer très loin sur un voilier de petite taille mais qui tient bien la mer.

39. A. Je perds patience avec les gens mornes ou ennuyeux.

    B. Je discerne quelque chose d'intéressant dans chaque personne que je rencontre.

40. A. Dévaler à skis une pente escarpée est une bonne façon de se retrouver avec des béquilles.

B. Je pense que j'aimerais dévaler à toute vitesse à skis une pente escarpée.

Publié avec l'autorisation de Marvin Zuckerman. Pour plus de renseignements, voir : Marvin Zuckerman, *Behavioral Expressions and Biosocial Bases of Sensation Seeking*, New York, Cambridge University Press, 1994.

Comment marquer les points

Il y a quatre sous-échelles dans l'échelle de recherche de sensations, chacune comprenant dix items. Les sous-échelles sont : (1) la recherche d'émotions fortes et d'aventure (RÉA), (2) la recherche d'expériences (RE), (3) la désinhibition (DÉS), (4) la susceptibilité à l'ennui (SE). Pour déterminer vos résultats dans chaque sous-échelle, additionnez le nombre de fois que votre réponse correspond à la notation ci-dessous.

RÉA	RE	DÉS	SE
3. A	4. B	1. A	2. B
11. B	6. A	12. B	5. A
16. A	9. A	13. B	7. B
17. A	10. B	25. B	8. A
20. B	14. A	29. A	15. B
21. B	18. A	30. B	24. A
23. A	19. B	32. A	27. B
28. A	22. A	33. B	31. B
38. B	26. B	35. B	34. A
40. B	37. B	36. A	39. A

Après que vous aurez déterminé vos résultats pour les quatre sous-échelles, vous n'aurez qu'à les additionner pour obtenir votre marque sur l'échelle de la recherche des sensations.

Comment vous comparez-vous à d'autres?

Le tableau ci-dessous vous permet de transformer votre résultat dans chacune des quatre sous-échelles ainsi que votre marque de recherche d'émotions en pourcentage. Notez bien que les normes sont légèrement différentes chez les hommes (H) et les femmes (F). Vous n'avez qu'à déterminer votre résultat dans la colonne appropriée puis à vous déplacer à l'extrémité droite du tableau pour trouver votre pourcentage.

RÉA		ES		DÉS		SE		TOTAL		%
F	H	F	H	F	H	F	H	F	H	
5	4	3	3	4	3	2	1	17	13	15
7	5	4	4	5	4	3	2	20	17	30
8	7	5	5	6	5	4	3	23	20	50
9	8	6	6	8	7	5	4	26	24	70
10	9	7	7	9	8	6	5	28	27	85

À propos de la recherche de sensations

Marvin Zuckerman, de l'Université du Delaware, a pris plus de vingt ans à déterminer le trait de personnalité qu'il a appelé «la recherche de sensations». Ses travaux, que je situe parmi les plus intéressants en psychologie, indiquent que la recherche de sensations constitue l'un des quelques

« traits fondamentaux » susceptibles de décrire la personnalité humaine. Il présente par ailleurs des indices probants à l'effet que cette caractéristique procède d'un important facteur génétique — presque aussi important qu'en ce qui a trait à l'intelligence. Ainsi, des parents qui recherchent des sensations auront tendance à avoir des enfants qui recherchent des sensations.

Comme vous le constatez d'après le test, la recherche de sensations peut se subdiviser en recherche d'émotions fortes et d'aventure, la recherche d'expérience, la désinhibition et la susceptibilité à l'ennui. La recherche d'émotions fortes et d'aventure se passe plus ou moins d'explications. Les personnes qui ont un classement élevé à ce chapitre pratiquent des activités qui peuvent impliquer des risques physiques comme l'alpinisme, le parachutisme en chute libre ou le rafting en eau vive. Les gens qui se méritent une bonne note dans la sous-échelle de recherche d'expériences sont en quête d'expériences nouvelles même si celles-ci n'impliquent pas d'excitation ou de danger. Par exemple, ils auront tendance à se prêter à une expérience de méditation ou d'hypnose simplement parce qu'ils n'en ont pas fait auparavant. Ces personnes seront par ailleurs portés à se trouver un nouveau lieu de vacances chaque année plutôt que de retourner au même endroit, même s'il convient parfaitement. Et elles auront tendance à avoir un plus grand nombre de partenaires sexuels que les individus qui obtiennent une note faible sur cette échelle. La désinhibition réfère à la tendance à s'ouvrir à des expériences non conventionnelles ou même illégales. Or, comme les items de cette échelle le suggèrent, les gens qui obtiennent de bons résultats ici sont portés à boire beaucoup dans des fêtes débridées. Ils seraient d'accord pour s'échanger leurs femmes ou pour consommer des drogues interdites. Ces gens ne se sentent pas liés par les canons habituels de la moralité. Et finalement, la susceptibilité à l'ennui est évidente en soi. Les individus qui en sont affectés trouvent l'ordinaire et le prévisible carrément difficiles à supporter. La routine où la plupart des gens s'installent et se sentent à l'aise est pour eux une horreur. Ils peuvent devenir relativement agités et anxieux s'ils ne peuvent satisfaire leurs besoins pour la nouveauté.

La quête de sensations a des avantages et des inconvénients. Des personnes comme Christophe Colomb et Neil Armstrong possèdent ou possédaient de toute évidence ce trait au plus haut point. Les chercheurs de sensations sont des gens qui ont une propension à faire des découvertes et à innover. Ils n'ont pas peur d'essayer des choses nouvelles et différentes. Par contre, s'ils ne peuvent canaliser leurs énergies dans des domaines socialement acceptables, leurs tendances peuvent leur attirer des ennuis. La quête de sensations risque de constituer une arme à deux tranchants.

Cette caractéristique étant relativement stable, Zuckerman suggère aux gens concernés de prendre en compte leur style de vie avant de faire certains choix. Par exemple, il ne serait pas sage pour un chercheur de sensations d'épouser une femme qui se situe à l'extrémité opposée du spectre. Ces deux personnes ne seraient simplement pas capables de s'apprécier mutuellement. Il faudrait en deuxième lieu considérer le choix de carrière. Par exemple, une personne faible sur l'échelle de recherche de sensations est susceptible d'aimer le travail de professeur d'université, qui est relativement sûr et valorisant. Mais une personne ayant une forte note sur l'échelle de recherche de sensations pourrait trouver la routine abrutissante. Le genre de travail qui soutiendrait l'intérêt d'un chercheur de sensations, comme celui de promoteur immobilier, serait sans doute trop stressant pour un individu ayant un résultat médiocre sur cette échelle. Après avoir compilé vos résultats, vous pourriez peut-être considérer vos choix de vie par rapport à cette dimension fondamentale de votre personnalité.

VOTRE VIE A-T-ELLE UN SENS?

L'ÉCHELLE DE L'ANXIÉTÉ EXISTENTIELLE

INSTRUCTIONS: Pour les items suivants, si l'énoncé correspond à ce que vous ressentez ou à ce que vous croyez, cochez la case « Vrai ». S'il ne correspond pas à ce que vous ressentez ou à ce que vous croyez, cochez la case « Faux ».

Vrai Faux

❏ ❏ 1. J'ai souvent le sentiment que ma vie a peu ou pas de sens.

❏ ❏ 2. La plupart du temps, je suis ennuyé ou indifférent à ce qui se déroule autour de moi.

❏ ❏ 3. Je trouve la vie emballante et pleine de défis.

❏ ❏ 4. Je sens souvent que mes accomplissements ont peu de valeur.

❏ ❏ 5. J'ai souvent l'impression que je ne fais qu'exister, que je ne vis pas vraiment.

❏ ❏ 6. En général, je sens qu'il est inutile de discuter avec les autres, car ils ne comprennent pas vraiment.

Vrai Faux

❏ ❏ 7. J'ai l'impression que la vie m'offre plus de possibilités qu'aux autres.

❏ ❏ 8. Mes activités quotidiennes paraissent en grande partie sans but.

❏ ❏ 9. Je me sens en général déprimé quand je pense à l'avenir.

❏ ❏ 10. Je n'ai jamais décroché un emploi que j'ai aimé vraiment.

❏ ❏ 11. Ce que je ressens ne semble rien signifier pour les autres.

❏ ❏ 12. Je trouve la religion relativement vide.

❏ ❏ 13. Je sens qu'il est inutile de vouloir convaincre quiconque de quoi que ce soit.

❏ ❏ 14. Je sens souvent que j'ai peu à espérer.

❏ ❏ 15. Je ne trouve pas que la vie est dénuée de sens.

❏ ❏ 16. Je ne semble jamais apprécier les choses comme les autres les apprécient.

❏ ❏ 17. En général, je sens que je n'arrive nulle part, quels que soient les efforts que je déploie.

❏ ❏ 18. Je constate que je trouve plus de sens à la vie que la plupart des gens.

❏ ❏ 19. Je m'intéresse vraiment très peu souvent à ce que je lis ou étudie.

❏ ❏ 20. Il n'y rien dans mon passé qu'il vaut vraiment la peine de se remémorer.

Vrai Faux

❏ ❏ 21. J'ai le sentiment que ma vie n'a pas grande importance pour quiconque.

❏ ❏ 22. Je trouve toujours quelque chose que j'aime vraiment faire.

❏ ❏ 23. Je sens qu'il y a peu de chose, s'il y en a, qu'il vaut vraiment la peine de poursuivre sur une longue période.

❏ ❏ 24. Ma vie semble relativement dénuée de sens.

❏ ❏ 25. Je trouve difficile de croire vraiment à quelque chose.

❏ ❏ 26. Quasiment tous ceux que je connais semblent avoir une vie assez vide.

❏ ❏ 27. En général, je trouve que ce que je fais est relativement dénué de sens.

❏ ❏ 28. Habituellement, je ne sais pas quoi faire de moi.

❏ ❏ 29. Je n'ai pas de but important dans la vie.

❏ ❏ 30. Je me sens en grande partie seul dans l'existence.

❏ ❏ 31. Je ne discerne guère chez moi un grand sens des responsabilités envers quiconque.

❏ ❏ 32. Je trouve que je suis une personne productive.

Source : Lawrence R. Good et Katherine C. Good, « A Preliminary Measure of Existential Anxiety », *Psychological Reports*, 1974, p. 34, 72-74. Publié avec l'autorisation du détenteur des droits.

Les réponses

1. V	12. V	23. V
2. V	13. V	24. V
3. F	14. V	25. V
4. V	15. F	26. V
5. V	16. V	27. V
6. V	17. V	28. V
7. F	18. F	29. V
8. V	19. V	30. V
9. V	20. V	31. V
10. V	21. V	32. F
11. V	22. F	

Comment vous comparez-vous à d'autres?

Résultat	Pourcentage
0	15
2	30
5	50
8	70
10	85

À propos de l'anxiété existentielle

Je me considère comme une personne assez peu compliquée. Aussi longtemps que les membres de ma famille sont heureux et en santé, que je travaille sur un projet intéressant, que je frappe de bons coups au golf et que mon chien est fou de joie quand j'arrive à la maison, je suis satisfait. Je n'ai pas réfléchi au sens de la vie ou à ma situation dans l'existence depuis ma deuxième année d'université. Et ce n'est pas parce que j'ai trouvé les réponses. Ces questions ont simplement perdu tout intérêt pour moi. Je vous dévoile cela afin de vous faire comprendre qu'il m'est difficile de saisir la notion d'anxiété existentielle.

Cette notion peut sans doute constituer un problème pour certaines personnes. Comme vous pouvez voir d'après les normes, le résultat moyen sur cette échelle n'est que de cinq ; les auteurs font valoir que sur un échantillonnage d'environ 200 personnes, certaines marques étaient aussi élevées que 26. Pour reprendre les paroles des Drs Good et Good, l'anxiété existentielle a trait au désespoir, à l'aliénation et au sentiment de vide. Et il y a des gens qui en souffrent vraiment.

Un certain nombre de professionnels de la santé mentale adeptes de la philosophie existentialiste ont proposé des raisons pour lesquelles de tels problèmes se sont présentés en plus grand nombre au cours de la deuxième moitié du xxe siècle. D'après ces gens, jusqu'à la Deuxième Guerre mondiale, le monde était relativement prévisible. Les personnes grandissaient dans des familles stables, et elles savaient que leurs vies se dérouleraient comme celle de leurs parents. Chaque génération espérait évidemment améliorer son sort, mais les gens connaissaient assez bien leur rôle dans le monde. Les changements se sont cependant produits très rapidement au cours de la deuxième moitié du siècle. Comme l'affirme le psychologue existentiel James Bugental, les années 1950 ont amené le baby-boom et les années 1960 le flower power. Puis, on a eu des années 1970 pleins d'espoir auxquelles a succédé la « génération du moi » des années 1980. Ensuite, dans les années 1990, nous avons eu la « génération X ». Ce que dit le Dr Bugental, c'est que ces changements sociaux rapides et soutenus ont rendu difficiles pour les gens de discerner leur place dans le monde. Notre univers est devenu incertain, et nous devons découvrir comment nous nous y imbriquons.

Le Dr Bugental s'accorde avec d'autres chercheurs pour dire que les gens peuvent avoir des prédispositions à l'anxiété existentielle, prédispositions qui perdurent à l'état latent durant des années, voire toute une vie, et qui ne se manifestent qu'à l'occasion d'un stress exceptionnel. Il décrit une jeune femme qui était manifestement la plus brillante élève de sa petite école secondaire. Acceptée dans une université prestigieuse, elle s'aperçut qu'il y avait beaucoup d'étudiants aussi doués qu'elle, et l'idée qu'elle s'était faite d'elle-même fut anéantie. Elle ne savait plus où était sa place dans le monde. Un autre cas concerne une femme qui avait eu une vie heureuse jusque vers l'âge de trente-cinq ans. Elle provenait d'une famille fortunée et avait épousé un homme du même milieu qu'elle aimait tendrement et qui l'aimait également. Son monde était parfait — et sûr — jusqu'à ce qu'elle perde son fils aîné dans un accident de la route. La profonde dépression qu'elle subit par la suite fut non seulement causée par la perte de son fils, mais aussi par la confrontation avec sa propre vulnérabilité. Elle prit conscience que la vie n'est pas aussi facile qu'elle l'avait cru.

L'un des psychothérapeutes les plus connus, Salvatore Maddi, décrit le type de personnes susceptibles de souffrir d'un accès d'anxiété existentielle. Le meilleur mot pour décrire de telles personnes est sans doute cynisme. Ces gens croient que la vie est essentiellement dénuée de sens et que rien de ce qu'ils font, ou pourraient même imaginer faire, a quelque valeur ou utilité en soi. La caractéristique qui prédomine chez eux est la fadeur. Ils peuvent avoir de brèves périodes de dépression, qui deviennent moins fréquentes à mesure qu'ils vieillissent, mais somme toute ils se sentent engourdis au plan émotif. Ils sont foncièrement incapables de ressentir la pure joie de vivre que la plupart d'entre nous ressentons dans des circonstances ordinaires, comme par exemple en regardant un coucher du soleil ou en observant des enfants jouer dans un parc. Ils ont tendance à être peu énergiques, mais plus encore, ils pensent qu'ils ne choisissent pas librement leurs activités. Ils accomplissent ce que l'on attend d'eux, et font juste ce qu'ils doivent pour arriver à s'en sortir. Le Dr Maddi est convaincu qu'il y a un grand nombre de personnes comme cela dans notre société.

Que devriez-vous faire si vous vous méritez une forte note sur l'échelle de l'anxiété existentielle ou si les propos ci-dessus s'appliquent trop bien à vous? Voilà une question difficile. Contrairement aux praticiens de la plupart des autres écoles de psychothérapie, les thérapeutes existentiels n'ont pas écrit de livres pratiques pour les personnes qui souffrent de ce problème. En fait, pour Bugental, cette forme de thérapie est «longue, malcommode et importune». Ce ne sont pas là des mots encourageants pour des gens qui veulent trouver leur place dans le monde.

Deux thèmes émergeant des ouvrages de ces philosophes peuvent nous aider à comprendre. Ils croient tout d'abord que les individus sains se préoccupent de l'abstrait, du symbolique et de l'imaginaire plutôt que du concret et du matériel. En fait, la plupart de ces chercheurs pointent du doigt notre société matérialiste comme responsable du grand nombre de cas d'anxiété existentielle (on peut toutefois se demander pourquoi la thérapie existentielle est si dispendieuse alors que ses praticiens ont un tel mépris pour la chose matérielle). En deuxième lieu, les thérapeutes existentiels évoquent l'importance de la «conscience de l'expérience immédiate». Je pense être trop «concret» pour comprendre précisément ce que cela veut dire, mais j'imagine qu'ils veulent signifier par là que les gens devraient comprendre la valeur et l'importance de ce qu'ils font à chaque moment particulier. Trop de gens vivent en fonction de l'avenir. Nous nous disons que nous allons travailler fort aujourd'hui et qu'après avoir terminé nos études, nous allons profiter de la vie. Ensuite, cela devient: «Quand je serai promu et que j'aurai obtenu cette hausse de salaire, j'aurai atteint le bonheur», puis: «Quand nous aurons assez économisé pour faire instruire les enfants...»

Mais cela n'arrête jamais, à moins de se décider à apprécier tous les moments de la vie. La vie doit être vécue et non planifiée. Si je parais sceptique à propos de l'anxiété existentielle (et j'espère le paraître), c'est que cette approche constitue un système de pensée, et non une vérité scientifique, comme certains de ses praticiens voudraient le faire croire. Malgré mon scepticisme, je suis convaincu de la valeur de ce concept. On peut le distinguer très nettement chez les gens dont le sens apparent de la vie leur a été soustrait. Par exemple, le cadre brillant qui sombre dans la dépression lorsqu'il prend sa retraite n'a jamais saisi le sens de sa vie. Ou la vedette sportive qui ne peut supporter qu'une blessure mette fin à sa carrière. La capacité d'accomplir plusieurs choses à la fois ne constitue pas une bonne façon d'asseoir sa vie. Nous devrions tous être à même d'apprécier et de trouver un sens à chacune de nos activités, quelle que soit leur banalité.

TROISIÈME PARTIE

VIVRE EN SOCIÉTÉ

Les êtres humains sont des animaux sociaux, et si vous désirez avoir une vie agréable, vous devez posséder les qualités qui vous permettront de connaître les autres et de vous entendre avec eux. Cette section vous fournira des renseignements sur vos capacités interpersonnelles et sur les aspects de celles-ci que vous êtes susceptibles d'améliorer. À l'issue des tests de cette partie, vous connaîtrez :

- Votre aisance en société.
- Votre capacité à vous affirmer dans les rapports interpersonnels.
- Votre dépendance à l'égard d'autrui.
- Votre compétitivité.
- Votre capacité de raisonnement.

ÊTES-VOUS À L'AISE EN SOCIÉTÉ?

LE TEST PERCEPTUEL D'INTERACTION SOCIALE

INSTRUCTIONS: Les gens pensent évidemment plusieurs choses quand ils sont impliqués dans des situations sociales diverses. La liste ci-dessous comprend une série d'idées qui peuvent vous être venues à l'esprit avant, pendant ou après être entré en rapport avec quelqu'un (que vous voudriez mieux connaître). Lisez chaque item et inscrivez le chiffre correspondant à la fréquence où une pensée semblable vous est venue avant, pendant ou après être entré en rapport avec quelqu'un.

Donnez un chiffre de 1 à 5 pour chaque item, selon l'échelle suivante:

1 = La pensée ne m'a pratiquement pas effleuré l'esprit.
2 = La pensée m'est venue rarement.
3 = La pensée m'est parfois venue.
4 = La pensée m'est souvent venue.
5 = La pensée m'est venue très souvent.

Répondez aussi sincèrement que possible.

☐ 1. Quand je ne sais quoi dire, je me sens devenir très nerveux.

☐ 2. Je peux habituellement parler assez bien aux femmes / aux hommes.

☐ 3. J'espère ne pas me donner en spectacle.

☐ 4. Je commence à me sentir plus à l'aise.

☐ 5. J'ai très peur de ce qu'elle / qu'il va penser de moi.

☐ 6. Pas de soucis, pas de peurs, pas d'angoisse.

☐ 7. J'ai peur à en mourir.

☐ 8. Elle / Il ne sera sans doute pas intéressé(e) à moi.

☐ 9. Peut-être que je peux la / le mettre à l'aise en prenant l'initiative.

☐ 10. Plutôt que de m'en faire, je peux penser à la meilleure façon de mieux la / le connaître.

☐ 11. Rencontrer des hommes / des femmes me met assez mal à l'aise, de sorte qu'inévitablement les choses vont mal.

☐ 12. Et alors? Le pire qui puisse arriver est que je ne lui plaise pas.

☐ 13. Il / Elle peut vouloir me parler autant que je veux lui parler.

☐ 14. C'est une bonne occasion.

☐ 15. Si j'échoue dans cette conversation, je vais perdre toute confiance en moi.

☐ 16. Ce que je dis va sans doute paraître ridicule.

☐ 17. Qu'est-ce que j'ai à perdre? Ça vaut la peine d'essayer.

☐ 18. C'est une situation singulière, mais je peux m'en sortir.

☐ 19. Bon Dieu, je ne veux pas faire ça.

☐ 20. Je serais humilié à l'extrême s'il / elle ne me répondait pas.

☐ 21. Je dois absolument faire bonne impression sur elle / lui, ou je vais me sentir mal.

☐ 22. Tu es vraiment un inhibé stupide.

☐ 23. Je vais sans doute être rejeté, de toute façon.

☐ 24. Je peux affronter n'importe quoi.

☐ 25. Même si ça ne marche pas, ça ne sera pas la fin du monde.

☐ 26. Je me trouve idiot et maladroit; elle / il va sûrement s'en rendre compte.

☐ 27. Nous avons probablement beaucoup de choses en commun.

☐ 28. Peut-être que nous allons nous plaire beaucoup.

☐ 29. Je voudrais partir et éviter toute cette situation.

☐ 30. Oh! Il faut faire fi de toute prudence.

Source: Carol R. Glass, Thomas V. Merluzzi, Joan L. Biever et Kathryn H. Larson, «The Social Interaction Self-statement Test», *Cognitive Therapy and Research*, 1982, p. 37-55. Publié avec l'autorisation du détenteur des droits.

Comment marquer les points
du test perceptuel d'interaction sociale

Ce test propose deux résultats : une marque dans la colonne des pensées positives et une dans la colonne des pensées négatives. Pour chaque colonne, additionnez les réponses chiffrées de chacun des 15 items.

Pensées positives	Pensées négatives
2	1
4	3
6	5
9	7
10	8
12	11
13	15
14	16
17	19
18	20
24	21
25	22
27	23
28	26
30	29

Comment vous comparez-vous à d'autres ?

Pensées positives du TPIS

Résultats		Pourcentage
Hommes	Femmes	
40	45	15
43	48	30
47	52	50
51	56	70
54	59	85

Pensées négatives du TPIS

Résultats		Pourcentage
Hommes	Femmes	
34	31	15
39	34	30
44	38	50
49	42	70
54	45	85

À propos de l'anxiété sociale

« Il vaut mieux rester muet et être considéré comme fou que de parler et dissiper tout doute. » Tel est votre axiome si vous avez obtenu une note élevée dans la section Pensées négatives du test perceptuel d'interaction sociale. Comme le font penser les items, les gens qui obtiennent de fortes notes à ce chapitre ont tendance à être nerveux dans des situations sociales, et ils aggravent leur nervosité en entretenant envers eux-mêmes des pensées critiques au sujet de leur interaction avec les autres. Ils sont tellement convaincus de leur propre ineptie sociale qu'ils abordent chaque situation avec la certitude qu'ils vont dire quelque chose d'incongru, de sorte qu'ils seront rejetés.

Une forte note dans la sous-échelle Pensées positives, par contre, signale des gens peu anxieux en société et qui ont la conviction d'être socialement habiles, ce qu'ils sont en réalité. Ces personnes s'engagent dans des situations sociales avec une attitude positive. Ils se disent qu'il n'est pas nécessaire d'être nerveux, et même s'ils n'ont pas la réaction attendue, ils ne s'en font pas. Leur axiome est probablement: «Qui ne risque rien n'a rien.» Il est beaucoup plus facile d'approcher des étrangers avec cette attitude.

Vous avez sans doute constaté que les normes des hommes et des femmes sont très différentes. Cela transcrit le fait que la timidité (ou l'anxiété sociale, pour s'en tenir au jargon psychologique) diffère chez les hommes et les femmes. Dans une étude sur les adultes célibataires que j'ai réalisée il y a quelques années, j'ai constaté que les femmes timides entretiennent autant de relations sociales et amoureuses que leurs semblables non timides. Par contre, les hommes timides n'ont aucun succès sous ce rapport. Ils sortent beaucoup moins avec les femmes que les hommes non timides, et se sentent isolés et malheureux. Les hommes se sentent toujours forcés de faire les premiers pas. Ainsi, les hommes timides habitués à se dire que les femmes ne les aiment probablement pas ont de la difficulté à faire des rencontres. Les femmes, qui peuvent être plus passives et attendre simplement qu'un homme fasse une approche, ne sont pas aussi affectées par l'insécurité sur le plan social.

Si vous avez obtenu dans les 85 pour cent ou plus sur la sous-échelle des Pensées négatives, vous ne profitez sans doute pas de la vie autant que vous le pourriez. Vous vous sentez nerveux et peu sûr de vous, et votre angoisse bloque vos rapports avec les autres. Vous vous sentez plus à l'aise de rester seul à la maison que de vous mettre dans des situations où les autres pourraient vous rejeter. Il n'est pas tellement agréable de vivre ainsi.

Vous apprendrez cependant avec plaisir que ce problème peut être traité, et vous pouvez concevoir votre propre programme d'entraînement afin de vous sentir plus à l'aise et détendu avec les gens. Vous devriez chercher à perdre l'habitude de vous bercer des propos que l'on retrouve dans les pensées négatives et à vous habituer à vous tenir à vous-même les propos que l'on retrouve dans les pensées positives. Il faut simplement le faire petit à petit. Permettez-moi de vous tracer un programme en cinq étapes. Vous pouvez, bien entendu, improviser ou ajouter des éléments selon votre situation particulière.

1. Au cours des deux premières semaines, tout ce que vous aurez à faire sera de sourire et de dire bonjour aux étrangers avec qui vous amorcerez un contact visuel dans une situation convenable, ce qui exclut, bien sûr, les rencontres dans le métro. Si vous suivez des cours à l'université, souriez et saluez les gens qui entrent en classe en même temps que vous. Faites de même avec le caissier lorsque vous faites le plein ou que vous allez chercher votre journal. Vous vous êtes habitué à ce que les autres fassent les premiers pas, mais eux ignorent pourquoi vous avez un air si renfrogné. Vous ne vous sentez pas sûr de vous et ne voulez pas risquer d'être

rejeté, mais eux croient que vous êtes distant et réservé. Quand vous tenterez cette approche, des gens vont vous regarder comme si vous étiez cinglé, mais ne vous laissez pas intimider. Répétez-vous l'une des pensées positives. Je pense que vous serez surpris du nombre de personnes qui vous souriront à leur tour, et dans peu de temps, il vous paraîtra plus naturel de vous tenir à vous-même des propos positifs.

2. Au cours de la deuxième étape s'étendant sur deux semaines, exercez votre aptitude au bavardage. Pendant que vous attendez en ligne à l'épicerie, tournez-vous vers la personne derrière vous et parlez-lui de la journée splendide. Quand vous faites le plein, demandez à la caissière si elle a passé une bonne journée. Vous vous demandez sans doute si une telle familiarité est déplacée, mais vos scrupules découlent de ce que vous vous dites que les autres vont vous rejeter. Nous avons tous observé des gens qui semblent très familiers avec la caissière à l'épicerie et qui pourtant ne la rencontrent qu'une fois par semaine. Vous rencontrerez des exceptions, mais la plupart des gens réagiront avec amabilité et sympathie. Vous devez garder ce fait à l'esprit. Vous serez surpris de constater que le monde est beaucoup plus facile à vivre si vous avez des rapports détendus et amicaux avec les personnes que vous connaissez à peine mais avec lesquelles vous entrez fréquemment en contact.

3. La troisième étape de votre programme consistera à faire des compliments aux gens. Inutile de vous lancer dans une dithyrambe, mais la plupart des gens aiment recevoir une tape dans le dos de temps en temps. Dites à une camarade de classe que vous avez trouvé son commentaire très juste et

que cela vous a permis de voir le sujet d'un autre point de vue. Dites à votre collègue de travail que vous aimez sa nouvelle cravate. Dites à votre caissière d'épicerie qu'elle a l'air de bien se porter. L'un des principes de base des relations humaines est que l'on aime ceux qui nous aiment. Montrez alors aux gens que vous les aimez. Ils pensent probablement que votre silence reflète votre manque d'intérêt pour eux plutôt que votre manque d'assurance.

4. La quatrième étape consiste à aller vers les gens. Efforcez-vous à inviter les gens. Après avoir complété les trois premières étapes, vous serez plus à l'aise avec les personnes et vous aurez appris à les connaître. Il est maintenant temps de vous faire de nouveaux amis. Invitez un collègue de travail à dîner. Certains vont décliner l'invitation : tout le monde ne peut pas vous aimer. Mais ça ne doit pas vous empêcher d'essayer. Vous n'aimez pas non plus tous les gens que vous rencontrez. Si toutefois vous êtes amical et ouvert, vous allez rencontrer plus d'ouverture que de rejet. Rappelez-vous : qui ne risque rien n'a rien.

5. Maintenant que vous vous sentez plus à l'aise en compagnie des autres, il est temps d'affronter vos peurs au sein d'un groupe plus large. Vous avez besoin d'entraînement, de sorte que vous devrez vous joindre à un groupe. Plusieurs universités et programmes d'éducation permanente offrent quelque chose qui vous convient parfaitement : des groupes de croissance personnelle. Si vous en dénichez un, joignez-en les rangs immédiatement. Si vous ne trouvez aucun groupe du genre, prenez un cours universitaire le soir ou joignez-vous à un groupe de lecture. Votre tâche consistera à faire une intervention par rencontre. Au début, vous

devrez sans doute préparer votre intervention. Vous écrirez peut-être vos commentaires avant la réunion et vous vous pratiquerez devant un miroir. Vous vous sentirez probablement nerveux la première fois, mais ne vous en faites pas. Personne sans doute ne s'en rendra compte. Je vous assure que cela deviendra de plus en plus facile à mesure que vous progresserez. Avant longtemps, vous vous surprendrez à vouloir prendre la parole.

Les gens qui se méritent de fortes notes à la rubrique Pensées négatives possèdent une qualité : ils prennent leurs obligations envers les autres plus au sérieux que les personnes ayant un faible niveau d'anxiété sociale. C'est sans doute parce qu'ils se demandent si les autres vont mal les juger, mais quelle que soit la raison, cette qualité est bonne à avoir. Votre préoccupation à propos de la réaction des autres vous rend en outre plus sensible que les gens ordinaires. Vous possédez donc les qualités nécessaires pour faire de vous une personne aimée et respectée. Tout ce que vous avez à faire est de laisser les autres connaître vos sentiments. Bonne chance. Continuez à progresser jusqu'à ce que le résultat de vos pensées positives atteigne les 85 pour cent. Je suis convaincu que vous pouvez l'atteindre.

VOUS AFFIRMEZ-VOUS ?

LE PROGRAMME D'ÉVALUATION
DE L'AFFIRMATION DE SOI DE RATHUS

INSTRUCTIONS : Indiquez jusqu'à quel point chacun des énoncés suivants s'applique ou non à vous en utilisant le code qui suit :

+3 : Cela me ressemble beaucoup, très fidèle.
+2 : Cela me ressemble assez, assez fidèle.
+1 : Cela me ressemble un peu, un peu fidèle.
- 1 : Cela me ressemble peu, peu fidèle.
- 2 : Cela me ressemble très peu, très peu fidèle.
- 3 : Cela ne me ressemble pas du tout, pas fidèle du tout.

☐ 1. La plupart des gens s'affirment plus et sont plus entreprenants que moi.

☐ 2. J'ai hésité à proposer ou à accepter des sorties à cause de ma timidité.

☐ 3. Quand les plats servis dans un restaurant ne sont pas cuisinés à mon goût, je me plains à la serveuse ou au serveur.

☐ 4. Je prends garde à ne pas blesser les gens, même si je sens que j'ai été blessé.

☐ 5. Si un vendeur se fend en quatre pour me montrer de la marchandise qui ne me convient pas, j'ai de la difficulté à dire non.

☐ 6. Quand on me demande de faire quelque chose, je demande toujours pourquoi.

☐ 7. Il y a des fois où je recherche une bonne discussion animée.

☐ 8. Je m'efforce de monter en grade autant que la plupart des gens dans ma situation.

☐ 9. À dire vrai, les gens profitent souvent de moi.

☐ 10. J'aime engager la conversation avec de nouvelles connaissances et des étrangers.

☐ 11. Souvent, je ne sais pas quoi dire à des personnes attrayantes du sexe opposé.

☐ 12. J'hésite à téléphoner à des entreprises commerciales et des établissements.

☐ 13. Je préfère postuler pour un emploi ou demander d'être admis dans une université en le faisant par la poste plutôt qu'en passant des entrevues.

☐ 14. Je trouve gênant de retourner de la marchandise.

☐ 15. Si un proche parent respecté m'agaçait, je ravalerais mes sentiments plutôt que d'exprimer mon mécontentement.

☐ 16. J'ai évité de poser des questions par peur d'avoir l'air ridicule.

☐ 17. Dans une discussion, je crains parfois de tellement me fâcher que je vais me mettre à trembler de tout mon corps.

☐ 18. Si un conférencier connu et respecté émet une opinion que je trouve erronée, je vais faire connaître mon point de vue à l'auditoire.

☐ 19. J'évite de discuter de prix avec des commis ou des vendeurs.

☐ 20. Quand j'accomplis quelque chose de valable, je m'arrange pour en faire part aux autres.

☐ 21. Je suis ouvert et franc à propos de mes sentiments.

☐ 22. Si quelqu'un raconte des ragots et des faussetés sur moi, je rencontre cette personne au plus tôt pour mettre les choses au clair.

☐ 23. Il m'est souvent difficile de dire non.

☐ 24. Je suis porté à ravaler mes sentiments plutôt que de faire un esclandre.

☐ 25. Je porte plainte à propos du mauvais service dans un restaurant ou ailleurs.

☐ 26. Quand on me fait un compliment, je ne sais pas quoi dire.

☐ 27. Si un couple assis près de moi au cinéma ou dans une conférence parlait trop fort, je demanderais à ces personnes de se taire ou d'aller converser ailleurs.

☐ 28. Quiconque veut passer devant moi dans une file doit s'attendre à m'affronter.

☐ 29. Je ne tarde pas à donner mon opinion.

☐ 30. Il y a des fois où je reste muet.

Source : Spencer A. Rathus, « A 30-item Schedule for Assessing Assertive Behavior », 1973, numéro 4, p. 398-406. Publié avec l'autorisation du détenteur des droits.

Comment marquer les points du programme d'évaluation de l'affirmation de soi de Rathus

La première étape pour marquer les points de cette échelle consiste à changer les signes des items notés en sens inverse. Ainsi, pour les items suivants, si vous avez inscrit un chiffre négatif (-), changez-le pour un chiffre positif (+). Par contre, si vous avez inscrit un chiffre positif pour ces mêmes items, changez-le pour un chiffre négatif.

1	12	19
2	13	23
4	14	24
5	15	26
9	16	30
11	17	

Après que vous aurez changé les signes des items ci-dessus, déterminez votre résultat final. Si vous êtes un peu rouillé en mathématiques, vous faites cela en additionnant tous les chiffres portant le même signe. Vous aurez donc deux sommes, une positive et une négative. Soustrayez le moins élevé des deux nombres du plus élevé et faites précéder le résultat du signe accolé au nombre le plus élevé.

Comment vous comparez-vous à d'autres?

Résultats	Pourcentage
- 29	15
- 15	30
0	50
+ 15	70
+ 29	85

À propos de l'affirmation de soi

L'entraînement à l'affirmation de soi fut une des premières techniques développées par les thérapeutes behavioristes vers la fin des années 1950 et le début des années 1960. À la fin des années 1960 et au début des années 1970, alors qu'un grand nombre de psychologues cliniciens ayant été formés aux méthodes du behaviorisme amorçaient leur pratique, les groupes d'entraînement à l'affirmation de soi pullulèrent. Quoiqu'ils aient perdu de leur popularité depuis vingt ans, quiconque s'intéresse à ce domaine n'aura aucune difficulté à trouver un tel groupe, sauf dans les régions les plus reculées. Y a-t-il vraiment autant de gens qui veulent s'affirmer davantage ? Sans doute, mais jusqu'à un certain point, la prolifération de ces techniques reflète les valeurs véhiculées par nombre de professionnels de la santé mentale.

Si vous vous êtes mérité une note inférieure à 15 %, vous gagneriez probablement à vous affirmer davantage. La difficulté que vous avez à exprimer votre pensée vous porte sans doute à vous sentir seul, isolé et exploité. Par contre, il n'est pas certain que vous deviez chercher à décrocher la plus haute note possible. Contrairement à ce que pourront vous dire plusieurs professionnels de la santé mentale, je crois qu'un niveau moyen d'affirmation de soi est parfaitement valable. Les personnes qui s'affirment fortement sont portées à être capricieuses, ambitieuses et aussi égoïstes. Ces gens ont tendance à croire que leurs désirs et leurs sentiments surpassent en importance ceux de quiconque. Dans son premier projet de recherche, le Dr Rathus a apporté une certaine confirmation de cette idée. Il a constaté que les gens obtenant de hautes notes sur son échelle étaient considérés par leurs intimes comme pas aussi « aimables » que ceux dont la note n'avait pas été aussi forte.

Pour être clair, disons qu'il y a une nette distinction à établir entre l'affirmation de soi et l'agressivité. L'affirmation de soi se définit comme l'expression appropriée des sentiments au plan social, de sorte qu'un comportement d'affirmation de soi n'a pas besoin d'être agressif. Prenons comme exemple l'un des items du programme d'affirmation de soi de Rathus. L'item 14 évoque des sentiments ressentis lorsqu'on retourne des marchandises. Une personne agressive pourrait se plaindre tout haut de la marchandise et exiger de manière intempestive un remboursement complet. Une personne qui s'affirme donnerait les raisons justifiant le retour, non seulement de manière claire et sans détour, mais aussi avec calme et pondération, jusqu'à ce qu'un crédit ou un remboursement soient accordés. Les personnes qui s'affirment sont résolues à faire connaître leurs sentiments aux autres. Les gens agressifs veulent se faire passer pour supérieurs aux autres. Il vaudrait mieux dans ce cas de simplement s'affirmer.

Pour bien faire comprendre que l'affirmation de soi peut ne pas constituer la meilleure attitude, prenons l'item 15 : « Si un proche parent respecté m'agaçait, je ravalerais mes sentiments plutôt que d'exprimer mon mécontentement. » Plusieurs de mes proches sont ennuyeux, mais je ravale presque toujours mes sentiments. Tout d'abord, je ne les rencontre au plus que quelques fois par année, de sorte que je ne souffre pas trop longtemps en silence. Ensuite, les membres de ma famille sont comme ils sont, et exprimer mon agacement ne les changera pas. Ils ne vont pas avaler religieusement mes critiques et modifier tout de go leurs manières d'être. Et puis, je réalise que j'ai aussi des manières ennuyeuses et qu'ils sont assez aimables pour ne pas m'en tenir rigueur. Il existe des situations où il vaut mieux s'abstenir d'exprimer ouvertement ses sentiments.

Si le programme d'évaluation de l'affirmation de soi de Rathus vous permet d'identifier certaines situations que vous pourriez mieux affronter, vous serez alors à même de modifier vos façons de faire. Tout comme pour l'anxiété sociale abordée dans la section précédente, le manque d'affirmation de soi peut être traité avec succès. De fait, les individus possédant un fort taux d'anxiété sociale sont portés à s'affirmer peu. (Tous ceux qui, en société, ont confiance en eux ne s'affirment pas nécessairement.)

Puisque l'affirmation de soi, plus que l'anxiété sociale, tend à être associée à des situations précises, vous auriez peut-être avantage à concevoir un programme plus détaillé de changement. La première étape consiste à dresser une liste des situations où vous aimeriez vous affirmer davantage. Vous pourriez vous inspirer des items de l'échelle de Rathus. L'item numéro 23, par exemple, « Il m'est souvent difficile de dire non », transcrit un problème courant pour les gens qui s'affirment peu. Si c'est un problème pour vous, il serait bon que vous dressiez une liste des situations où vous avez de la difficulté à dire non, même si vous le voulez.

La deuxième étape consiste à classer cette liste en fonction de la difficulté que représente pour vous chacune des situations. Il pourrait ne pas vous être très difficile de dire non à un organisme de charité qui fait de la sollicitation téléphonique, tandis que vous trouveriez extrêmement difficile de devoir refuser de prêter votre voiture à un ami intime. Pour chacune des situations, imaginez, ou encore mieux, rédigez une réponse marquant votre affirmation personnelle et qui s'applique d'après vous à la situation. Au solliciteur téléphonique, vous pourriez répondre : « Je regrette. Je ne peux vous aider. J'ai pour principe de ne jamais envoyer d'argent à des gens qui me sollicitent au téléphone. » À votre ami, vous pourriez répondre simplement : « Je ne prête jamais ma voiture. » En imaginant des réponses où vous vous affirmez, rappelez-vous que vous n'avez pas à expliquer vos sentiments, non plus qu'à vous en excuser. Il est toujours agréable d'agir avec tact, mais n'oubliez pas que c'est l'autre qui vous oblige à réagir en faisant une demande irraisonnable.

En troisième lieu, il s'agit de s'exercer. Commencez par la tâche la plus facile de votre liste, et à mesure que vous vous sentirez plus à l'aise, passez à des actions plus difficiles. N'oubliez pas de faire usage des techniques abordées dans les sections précédentes. Au moment où vous êtes en train de vous affirmer, prenez conscience des pensées négatives qui surgissent et substituez-leur sciemment des pensées positives. La pratique n'amènera peut-être pas la perfection, mais elle produira une amélioration. Et n'oubliez pas que votre objectif n'est pas de devenir une personne imbue d'elle-même et agressive. Vous ne voulez qu'apprécier vos relations sociales et empêcher les autres de profiter de vous.

ÊTES-VOUS DÉPENDANT DES AUTRES ?

L'INVENTAIRE DE LA DÉPENDANCE INTERPERSONNELLE

INSTRUCTIONS : Il y a ci-dessous 48 énoncés. Lisez chacun d'eux et déterminez si oui ou non ils traduisent vos attitudes, vos sentiments et vos comportements. Puis attribuez à chacun une marque correspondant aux valeurs qui suivent.

4 = Cela me caractérise tout à fait.
3 = Cela me caractérise bien.
2 = Cela me caractérise un peu.
1 = Cela ne me caractérise pas.

- [ ] 1. Je préfère rester seul.
- [ ] 2. Quand je dois prendre une décision, je demande toujours conseil.
- [ ] 3. Je donne mon meilleur rendement quand je suis assuré qu'on m'apprécie.
- [ ] 4. Je n'aime pas être chouchouté quand je suis malade.
- [ ] 5. Je préfère obéir que de commander.
- [ ] 6. Je crois que les gens pourraient faire beaucoup plus pour moi s'ils le voulaient.

☐   7. Quand j'étais enfant, il était très important de plaire à mes parents.

☐   8. Je n'ai pas besoin des autres pour me sentir bien.

☐   9. Être jugé défavorablement par quelqu'un que j'aime m'est très pénible.

☐   10. Je crois pouvoir affronter la plupart des problèmes personnels susceptibles de se présenter dans ma vie.

☐   11. Je suis la seule personne que je désire satisfaire.

☐   12. L'idée de perdre un ami intime me terrifie.

☐   13. J'adhère rapidement aux opinions exprimées par les autres.

☐   14. Je compte sur moi-même.

☐   15. Je serais complètement perdu si je n'avais pas un être cher à mes côtés.

☐   16. Je me mets en colère quand quelqu'un se rend compte que j'ai commis une erreur.

☐   17. Il m'est difficile de demander une faveur à quelqu'un.

☐   18. Je déteste que l'on sympathise avec moi.

☐   19. Je me décourage facilement quand je n'obtiens pas ce que je désire des autres.

☐   20. Dans une discussion, j'abandonne facilement.

☐   21. Je n'ai pas besoin d'obtenir beaucoup des gens.

☐   22. Je dois avoir à mes côtés une personne que j'affectionne particulièrement.

☐   23. Quand je vais dans une fête, je m'attends à ce que les autres m'aiment.

☐ 24. Je me sens mieux quand j'ai la conviction que quelqu'un d'autre commande.

☐ 25. Quand je suis malade, je préfère que mes amis me laissent seul.

☐ 26. Je suis des plus heureux quand les gens me disent que j'ai fait du bon travail.

☐ 27. Il m'est difficile de me faire une opinion sur une émission de télé ou un film avant de connaître l'opinion des autres.

☐ 28. Je suis prêt à ignorer les sentiments des autres pour accomplir quelque chose d'important pour moi.

☐ 29. J'ai besoin d'une personne qui me mette au-dessus de toutes les autres.

☐ 30. En société, je suis porté à être très gêné.

☐ 31. Je n'ai besoin de personne.

☐ 32. J'ai beaucoup de difficulté à prendre des décisions seul.

☐ 33. Je suis porté à imaginer le pire si un être aimé n'arrive pas au moment prévu.

☐ 34. Même dans les situations difficiles, je peux me débrouiller sans demander l'aide des amis.

☐ 35. Je suis porté à attendre trop des autres.

☐ 36. Je n'aime pas acheter des vêtements pour moi-même.

☐ 37. Je suis porté à être un solitaire.

☐ 38. J'ai l'impression que je ne reçois pas tout ce qu'il me faut des gens.

☐ 39. Quand je rencontre de nouvelles personnes, je crains de ne pas faire ce qu'il faut.

☐ 40. Même si la plupart des gens me tournaient le dos, je pourrais continuer quand même si quelqu'un que j'aime restait à mes côtés.

☐ 41. Je préfère ne m'engager dans aucune relation avec les autres que de risquer d'être déçu.

☐ 42. Ce que les gens pensent de moi n'affecte pas ce que je ressens.

☐ 43. Je crois que les gens ne se rendent pas compte jusqu'à quel point ils peuvent me blesser.

☐ 44. Je suis très sûr de mon propre jugement.

☐ 45. J'ai toujours eu la crainte terrible de perdre l'amour et le soutien de gens dont j'ai terriblement besoin.

☐ 46. Je ne possède pas les qualités nécessaires pour être un bon meneur.

☐ 47. Je me sentirais démuni si j'étais abandonné par quelqu'un que j'aime.

☐ 48. Ce que les autres disent ne me dérange pas.

Source : Robert M. A. Hirschfeld, Gerald L. Klerman, Harrison G. Gough, James Barrett, Sheldon J. Korchin et Paul Chodoff, « A Measure of Interpersonal Dependency », *Journal of Personality Assessment*, 1977, p. 611-618. Publié avec l'autorisation du détenteur des droits.

Comment marquer les points

Ce test comprend trois sous-échelles : la dépendance affective envers une autre personne, le manque d'assurance en société, et l'autonomie. Additionnez vos notes pour chaque groupe d'items.

La dépendance affective
envers une autre personne
3, 6, 7, 9, 12, 15, 16, 19, 22, 26, 29, 33, 35, 38, 40, 43, 45, 47

Le manque d'assurance en société
2, 5, 10, *13, 17, 20, 23, *24, 27, 30, 32, 36, 39, 41, 44, *46
(Pour les items précédés d'un astérisque, déterminez le résultat en soustrayant votre note de 5.)

L'autonomie
1, 4, 8, 11, 14, 18, 21, 25, 28, 31, 34, 37, 42, 48

Comment vous comparez-vous à d'autres ?

	Résultat	Pourcentage
Dépendance affective	30	15
envers une autre personne	35	30
	40	50
	45	70
	50	85
Manque d'assurance en société	22	15
	25	30
	29	50
	33	70
	36	85

Autonomie	21	15
	24	30
	28	50
	32	70
	35	85

À propos de la dépendance

La dépendance est un sujet délicat. D'une part, des professionnels de la santé mentale nous affirment que les gens équilibrés forment des liens d'attachement avec les autres. Ce processus s'amorce au berceau alors que nous « créons des liens » avec nos parents. Si ces liens s'établissent, l'adulte aura alors la capacité d'établir des liens intimes avec ses semblables. Les gens sains, apprend-on par ailleurs, se permettent d'être vulnérables. Ils font suffisamment confiance aux autres pour en devenir dépendants. La dépendance semble en conséquence une bonne chose. La société ne pourrait fonctionner si nous ne pouvions compter sur les autres et que les autres ne pouvaient compter sur nous.

Mais d'autres experts nous mettent en garde contre les dangers de la dépendance. Les personnes dépendantes sont souvent qualifiées d'affectivement indigentes et de mièvres. Et le pire du pire, elles peuvent même être soumises. Ce point de vue suggère que les hommes et les femmes doivent être forts, indépendants et autonomes s'ils veulent vivre une vie saine et gratifiante.

Or où se situe la vérité ? À mi-chemin, comme c'est souvent le cas. Je suis d'avis que les gens dont les résultats se situent en bonne partie au milieu de l'échelle de ce test

peuvent jouir d'une vie parfaitement harmonieuse. Les difficultés surgissent quand les résultats se situent dans les
extrêmes, élevés ou faibles. Les gens peuvent se faire beaucoup de soucis parce qu'ils ont dans leur entourage des gens
dont ils dépendent, et entretenir quand même des relations
gratifiantes. Les problèmes se présentent seulement quand ils
se sentent paralysés par le blâme ou qu'ils perçoivent qu'ils
n'ont personne de plus fort qu'eux à leurs côtés pour les aider
à traverser la vie. Par ailleurs, des gens peuvent être très
autonomes et se soucier peu de l'opinion des autres mais
jouir quand même d'une vie pleine et gratifiante. Ce n'est
que quand le besoin d'autonomie devient tellement fort
qu'ils sont incapables de tisser des relations avec quiconque,
que la détresse risque de fondre sur eux. Si votre résultat se
situe entre les extrêmes, votre niveau de dépendance, ou
d'autonomie, ne devrait en principe guère vous préoccuper.

Les auteurs du test formulent quelques évidences empiriques soutenant cette assertion. Lors de l'élaboration de leur
test, ils ont recueilli des données tant chez des adultes
moyens que chez des patients psychiatriques. Ils ont
constaté plusieurs différences significatives dans les résultats
moyens des deux groupes sur la sous-échelle de la
dépendance affective à autrui ainsi que la sous-échelle de
l'autonomie. Et si les questions de dépendance sont souvent
importantes chez les psychiatrisés, cela ne signifie nullement que la personne ayant un grand besoin de dépendance
se retrouvera au rang des malades psychiatriques.

Comme pour la plupart des tests de ce livre, vous trouverez peut-être utile de comparer votre résultat à celui de
votre compagne ou compagnon ou, mieux encore, à celui
d'un compagnon ou d'une compagne éventuels. Même si
nombre d'études comportementales laissent beaucoup de

place à l'interprétation, il reste que nous, les psychologues, pouvons dire au moins une chose avec une certaine certitude : les conjoints qui possèdent des personnalités semblables ont plus de chances d'entretenir des rapports harmonieux que ceux qui sont dépareillés.

Un couple que j'ai rencontré un jour en thérapie, Bill et Kelli, illustre les difficultés qui peuvent surgir de niveaux différents de dépendance. Bill avait un indice de dépendance sous la moyenne tandis que sa femme, Kelli, avait dans les 80 % sur l'échelle de l'inventaire de la dépendance interpersonnelle. Cette différence suscita dans le couple un certain nombre de mésententes et d'animosités au fil des ans. Pour ne donner qu'un exemple, Bill ne pouvait supporter qu'on le chouchoute quand il était malade. Quand il se sentait mal, il préférait qu'on le laisse seul. Tout ce qu'il voulait, c'était qu'on lui apporte à boire et à manger. Kelli, par contre, aimait beaucoup qu'on s'occupe d'elle quand elle se sentait mal. Elle préférait que son mari reste à son côté en lui tenant des propos gentils, ne l'abandonnant que pour aller lui chercher quelque chose dans la cuisine. Durant les premières années de mariage, Kelli pensait que le besoin de solitude de Bill était une indication qu'il la rejetait. En outre, son manque d'enthousiasme à son chevet était perçu comme l'indice de son indifférence envers elle. Leur schéma d'interraction, qui se manifesta plusieurs fois au fil des années, consistait pour Kelli à se plaindre du manque d'affection de Bill, alors que Bill se mettait en colère à cause des « attitudes exigentes » de Kelli.

Bill et Kelli sont mariés depuis vingt-cinq ans de sorte qu'ils ont appris à se connaître, mais ils ont eu leurs moments difficiles. Il faut se souvenir que les disparités dans les niveaux de dépendance sont des phénomènes courants et qu'elles ne reflètent pas nécessairement l'attachement d'une personne pour une autre. Une personne autonome peut se satisfaire parfaitement d'une relation même si elle passe de longues heures seule. Un compagnon ou une compagne dépendant ne peut comprendre qu'une personne puisse être aussi égoïste et froide. Mais, en vérité, les deux modèles de comportement constituent des préférences, et l'une n'est pas en soi meilleure que l'autre. La vie à deux sera plus facile pour des gens qui auront un niveau de dépendance semblable, mais si un différend survient, il faudra s'abstenir de l'interpréter comme un indice du peu d'importance accordée à la relation par l'un des conjoints.

ÊTES-VOUS COMPÉTITIF ?

L'ÉCHELLE DE L'ESPRIT DE COMPÉTITION-COOPÉRATION

INSTRUCTIONS : Indiquez jusqu'où les énoncés suivants vous décrivent ou jusqu'où vous êtes d'accord en utilisant la graduation ci-dessous :

5 = C'est parfaitement comme moi *ou* je suis parfaitement d'accord.

4 = C'est assez comme moi *ou* je suis assez d'accord.

3 = Ce n'est ni comme moi ni différent de moi *ou* je ne suis ni en accord ni en désaccord.

2 = C'est assez différent de moi *ou* je suis assez en désaccord.

1 = C'est très différent de moi *ou* je suis en désaccord complet.

☐ 1. Les gens qui se mettent dans mon chemin finissent par le payer cher.

☐ 2. La meilleure façon de faire faire quelque chose par quelqu'un est de l'y forcer.

☐ 3. Ce n'est pas mal de rendre la monnaie de sa pièce à quelqu'un.

☐ 4. Je ne fais pas confiance à beaucoup de gens.

☐ 5. Il est important d'agir avec amabilité avec tout le monde.

☐ 6. Sur la voie de la réussite, on peut écraser n'importe qui.

☐ 7. Le travail d'équipe est plus important que de gagner.

☐ 8. Je veux réussir, même si c'est aux dépens d'autrui.

☐ 9. Ne donnez jamais à quelqu'un une deuxième chance.

☐ 10. Je joue à un jeu comme si ma vie en dépendait.

☐ 11. Je joue avec plus de fougue que mes coéquipiers.

☐ 12. En amour comme à la guerre, tous les coups sont permis.

☐ 13. Les personnes gentilles finissent les dernières.

☐ 14. Les perdants sont inférieurs.

☐ 15. Le groupe me ralentit.

☐ 16. Les gens doivent s'entendre avec les autres et les considérer comme égaux.

☐ 17. Ma façon de faire est la meilleure.

☐ 18. La meilleure politique est celle du chacun pour soi.

☐ 19. Je fais n'importe quoi pour gagner.

☐ 20. Le plus important dans un jeu, c'est de gagner.

☐ 21. Notre pays devrait faire de plus grands efforts en faveur de la paix dans le monde.

☐ 22. J'aime venir en aide aux autres.

☐ 23. Votre perte constitue mon gain.

☐ 24. Les gens qui éliminent tous les concurrents sur la voie de la réussite constituent des modèles pour tous les jeunes.

☐ 25. Plus je gagne, plus je me sens puissant.

☐ 26. J'aime voir la classe entière réussir un examen.

☐ 27. J'essaie de ne pas parler en mal des autres.

☐ 28. Je n'aime pas mettre de la pression pour atteindre mon but.

Source : Harry J. Martin, « The Competitive-cooperative Attitude Scale », *Psychological Reports*, 1976, p. 303-306. Publié avec l'autorisation du détenteur des droits.

Comment marquer les points

Les items ci-dessous doivent être notés en sens inverse. Soustrayez de 6 le chiffre que vous avez noté. Après avoir fait cela, additionnez tous les chiffres obtenus pour obtenir le résultat du test.

5	22
7	26
16	27
21	28

Comment vous comparez-vous à d'autres[1] ?

Résultats		Pourcentage
Hommes	*Femmes*	
53	46	15
60	54	30
68	63	50
76	72	70
83	80	85

Par contraste, si vous voulez connaître votre esprit de compétition, vous n'avez qu'à inverser le pourcentage. Ainsi, par exemple, un homme qui s'est mérité une note de 53 et une femme qui s'est méritée 46 se retrouveraient dans les 85 pour cent pour l'« esprit de compétition ».

À propos de l'esprit de compétition

Vaut-il mieux avoir un esprit de compétition ou un esprit de coopération ? S'il y a une question dont la réponse dépend de celui à qui elle est posée, c'est bien celle-là. Je n'ai jamais rencontré une personne possédant un très fort esprit de compétition qui ne désirait pas apprendre à mieux coopérer, non plus que j'ai rencontré une personne possédant un grand esprit de coopération qui ne désirait pas améliorer son

---

1. L'auteur de ce test ne donne aucun renseignement sur les normes. Les normes comprises ici sont fondées sur un échantillon d'étudiants de licence de l'université Old Dominion. Je voudrais transmettre mes remerciments à Denise Lamm pour le calcul des statistiques à la base de ces normes.

esprit de compétition. Il y a peut-être de telles personnes dans le monde, mais elles doivent être très peu nombreuses.

Ma marque pour ce test se situe dans les 50 pour cent. Vous pouvez donc deviner ma réponse à la question ci-dessus : il y a de bons côtés à la fois dans l'esprit de coopéra-tion et dans l'esprit de compétition. Mais j'irai plus loin, ce qui pourrait vous convaincre que je ne considère pas ma personnalité comme idéale. Je suis convaincu qu'il vaut mieux obtenir une note se situant à l'une quelconque des extrémités de l'échelle que de se mériter comme moi une note en plein milieu. Laissez-moi vous dire pourquoi.

Il me semble que les entrepreneurs ayant le mieux réussi possèdent au plus haut point l'esprit de compétition. J'ai lu un jour un article de journal sur Bill Gates, le créa-teur de Microsoft, devenu l'un des hommes les plus riches de la planète. L'article donnait des exemples des stratégies mises en place par Microsoft pour éliminer la concurrence. Je me souviens par ailleurs d'une entrevue avec l'un des concurrents de Gates, à qui l'on demandait si négocier avec Microsoft était comme être impliqué dans une bataille de rue. Le concurrent répondit que c'était plutôt comme de se battre au couteau. Bill Gates n'est pas arrivé à dominer le marché du logiciel en ayant pitié de ses concurrents.

Par ailleurs, je n'ai aucun doute que plusieurs des meil-leurs cadres de Gates obtiendraient des résultats fracassants du côté de la coopération. Des projets complexes, comme la création d'une nouvelle version d'un programme informa-tique, nécessitent la collaboration de centaines de per-sonnes, et les cadres ne pourraient atteindre leurs objectifs à moins de pouvoir instaurer un esprit de travail d'équipe et de coopération. En fait, les recherches entreprises par les psychologues du travail démontrent que les dirigeants efficaces tendent à favoriser l'esprit de coopération plutôt que l'esprit de compétition. Il faut se rappeler cependant que ces gens arrivent à faire accomplir le travail, mais pas nécessairement à hisser la compagnie au sommet.

Il me semble qu'il y ait place à la fois pour les compétiteurs et pour les coopérateurs. Si vous voulez fonder une nouvelle compagnie ou vous lancer dans la vente, vos chances de réussir seront sans doute meilleures si vous obtenez un résultat élevé au chapitre de l'esprit de compétition. Par contre, si vous prévoyez faire carrière en tant que gérant d'une compagnie bien établie, vous devriez tabler sur un fort pointage en coopération.

Dans un monde comme le nôtre, les gens tels que moi qui obtiennent un résultat à mi-chemin de l'échelle risquent d'être désavantagés. J'ai eu un succès modeste dans l'enseignement, mais je ne me compare nullement aux quelques professeurs d'université renommés pour leurs recherches ou leurs capacités à attirer les subventions gouvernementales. Mon opinion sur ceux qui se situent dans cette atmosphère raréfiée, tels Gates et ses proches assistants, est qu'ils échouent à l'une quelconque des extrémités de l'Échelle coopération-compétition.

Certains de ces hommes possèdent un fort esprit de compétition. Il semblent portés à publier plus d'articles, à gagner plus d'argent et à chercher une plus grande reconnaissance que leurs collègues. Et ils ne peuvent accomplir ce qu'ils accomplissent sans l'appui des autres. Or, de toute évidence, les gens avec qui ils travaillent leur sont soumis.

Par ailleurs, certains professeurs atteignent la notoriété en mettant sur pied des projets de recherche collectifs. Ces gens préfèrent travailler au sein de groupes de chercheurs de même niveau. Il ont la capacité de mettre sur pied de vastes projets impliquant la collaboration de plusieurs personnes ayant chacune sa place au sein du groupe.

Les gens comme moi n'ont pas suffisamment d'esprit de compétition pour entreprendre d'ambitieux projets de recherche. Ils n'ont pas non plus assez d'esprit de coopération pour s'intégrer à un groupe productif. Je suis assez satisfait de ma carrière, mais je me demande parfois ce que j'aurais pu accomplir si j'avais eu plus d'esprit de compétition ou si j'avais été capable de travailler davantage en coopération avec les autres. Je doute cependant que l'on puisse beaucoup changer cette dimension de la personnalité, mais il peut être utile de prendre conscience de ses forces et de ses faiblesses.

Une dernière observation. Je soupçonne que ce trait de personnalité agit un peu différemment dans nos rapports sociaux que dans notre environnement de travail. S'il peut être avantageux pour la carrière d'avoir soit un esprit de compétition soit un esprit de coopération, mieux vaudrait sans doute se situer à mi-chemin des deux dans les rapports sociaux. Ainsi, mes amis possèdent tous un esprit de compétition qui leur permet de jouir — un peu trop souvent — de leur victoire sur moi au golf. Or je n'aimerais pas jouer avec quelqu'un pour qui gagner ne représenterait rien. Mais j'évite de jouer avec des gens ayant un esprit de compétition tellement fort qu'ils deviennent détestables, voire exécrables dans un match serré. Un peu d'esprit de compétition peut mettre du piquant dans une amitié, mais il faut une bonne dose d'esprit de coopération pour que cette amitié évolue.

ÊTES-VOUS CHICANIER ?

L'ÉCHELLE DE L'ERGOTAGE

INSTRUCTIONS : Ce questionnaire propose des énoncés traitant de l'ergotage sur différents sujets controversés. Indiquez combien de fois chaque énoncé s'applique à vous personnellement en mettant le chiffre approprié à gauche de la phrase.

1 = Ne s'applique presque jamais.
2 = S'applique rarement.
3 = S'applique parfois.
4 = S'applique souvent.
5 = S'applique presque toujours.

☐ 1. Quand je discute, je crains que la personne avec laquelle je parle se fasse une mauvaise idée de moi.

☐ 2. Discuter à propos de sujets controversés accroît mon intelligence.

☐ 3. J'aime éviter les discussions.

☐ 4. Je discute avec énergie et enthousiasme.

☐ 5. Quand je mets fin à une discussion, je me promets que je ne m'y engagerai plus.

☐   6. Discuter avec une personne crée plus de problèmes que cela n'en résout.

☐   7. J'ai un agréable sentiment de satisfaction quand je remporte un point dans une discussion.

☐   8. Quand je finis de discuter avec quelqu'un, je me sens nerveux et bouleversé.

☐   9. J'aime m'engager dans une bonne discussion à propos d'un sujet controversé.

☐   10. J'ai un mauvais sentiment quand je constate que je vais entrer dans une discussion.

☐   11. J'aime défendre mon point de vue sur un sujet.

☐   12. Ça me réjouit d'éviter une discussion.

☐   13. Je n'aime pas perdre une occasion de discuter un sujet controversé.

☐   14. Je préfère me tenir avec des gens qui sont rarement d'un avis contraire au mien.

☐   15. Je considère qu'une discussion constitue un défi intellectuel emballant.

☐   16. Je me trouve incapable d'apporter des points conséquents dans une discussion.

☐   17. Je me sens revigoré et satisfait après une discussion sur un sujet controversé.

☐   18. J'ai de bonnes aptitudes pour la discussion.

☐   19. J'essaie d'éviter de m'engager dans une discussion.

☐   20. Je me réjouis de voir qu'une conversation dans laquelle je suis engagé tourne au débat.

Source : Dominic A. Infante et A. S. Rancer, « A Conceptualization and Measure of Argumentativeness », *Journal of Personality Assessment*, 1982, p. 72-80. Publié avec l'autorisation du détenteur des droits.

Comment marquer les points de l'Échelle de l'ergotage

Additionnez les chiffres que vous avez inscrits pour les items 1, 3, 5, 6, 8, 10, 12, 14, 16 et 19. La somme correspond à votre capacité d'éviter les débats. Puis, additionnez les chiffres que vous avez inscrits pour les items 2, 4, 7, 9, 11, 13, 15, 17, 18, 20. La somme correspond à votre capacité à chercher la discussion. Pour obtenir le résultat total, soustrayez le premier résultat, correspondant à votre capacité d'éviter les discussions, de la deuxième somme. Les normes ci-dessous vont vous donner une idée sur la façon dont vous vous comparez aux autres.

Comment vous comparez-vous aux autres ?

Résultat	Pourcentage
- 7	15
- 1	30
4	50
9	70
15	85

À propos de l'ergotage

Voici une échelle où il vaut mieux se situer dans les 50 % plutôt qu'à l'une ou l'autre des extrémités. Les gens qui obtiennent une marque élevée aiment rien de moins qu'un bon débat; en fait, ils en rêvent. Pour ces personnes, c'est une forme de divertissement qui vaut bien mieux que le cinéma. Ceux qui obtiennent une marque faible s'efforceront le plus possible d'éviter les discussions. Ils perçoivent cela comme une sorte de conflit et de lutte qui ne peut que diviser les gens. Ils veulent que tout le monde soit gentil et s'entende. Ces deux positions peuvent poser des problèmes.

Considérons d'abord ceux qui aiment discuter. La difficulté avec le fait d'aimer une bonne discussion est qu'elle peut facilement dégénérer. J'ai un bon ami — appelons-le Ted — qui est un querelleur chronique (je sais qu'il ne peut me lire puisqu'il n'a jamais mis le nez dans un livre de psychologie pratique de sa vie). Quand je me trouve en sa compagnie, je sais que si j'exprime à peu près n'importe quelle opinion, ça va aboutir à bien autre chose qu'un simple échange de points de vue. Par exemple, un jour que nous jouions au golf, j'ai émis l'opinion que Phil Michelson, devenu depuis peu professionnel après avoir gagné un tournoi d'amateur, allait sans doute joindre les rangs des grands golfeurs. Ted fit part aussitôt de son désaccord. Il me fit un discours de dix minutes sur tous les amateurs talentueux qui avaient eu une carrière professionnelle décevante. Il essaya de me coincer sur le nombre de tournois que Michelson allait remporter, et la discussion se termina par un pari de 10 $ que j'engageai sur la victoire du golfeur dans huit tournois majeurs d'ici l'an 2013. Mais j'avais naïvement pensé que ça allait mettre un terme à la discussion. Nous dûmes ensuite débattre du fait de savoir si c'était un pari de 10 $ ferme ou s'il fallait y ajouter le montant de l'inflation. Puis nous discutâmes à propos de l'index à utiliser pour ajuster le montant. J'aime beaucoup la compagnie de Ted, mais il y a des fois où il me fatigue.

Une des qualités de Ted (et qui explique qu'il est toujours mon ami) que d'autres querelleurs n'ont pas : il reste collé au sujet. Il ne fait pas glisser ses arguments sur le plan personnel. Il ne m'a jamais accusé de ne pas comprendre le sujet de la discussion ou d'être mal informé. Il a du respect pour mon opinion même s'il me fait bien comprendre qu'elle est erronée. Contrairement à Ted, plusieurs ergotteurs confondent leur agressivité et leur hostilité pour de l'assurance. Ils pensent que l'on peut tout dire dans le feu de la discussion, quel que soit le caractère blessant des propos pour l'autre personne. Leur but est de remporter la discussion, et s'ils doivent s'en prendre personnellement à leur interlocuteur, eh bien, tant pis. Si vous avez obtenu 85 % ou plus, réfléchissez au genre d'interlocuteur que vous êtes. Si vous dites des choses désobligeantes à l'égard de votre interlocuteur, si votre axiome favori est «en amour comme à la guerre, tous les coups sont permis», vous pourrez bien remporter la discussion, mais vous perdrez sûrement des amis. Vous êtes un tyran et vous devriez vous arrêter.

Si vous ressemblez davantage à Ted, tout ce que vous avez à faire est de mettre la pédale douce. Arrêtez-vous quand vous aurez présenté tous vos arguments, même si votre interlocuteur ne semble pas convaincu. Une discussion n'a pas nécessairement besoin de gagnant et de perdant, elle n'a besoin que de participants. La plupart des gens aiment échanger points de vue et opinions, mais l'échange n'a pas toujours besoin de devenir un concours d'intelligence et d'affirmation de soi. Et si vous ressemblez à Ted, vous pouvez ne même pas vous rendre compte de ce que vous faites. Ted a été étonné quand on lui a dévoilé sa propension à faire dégénérer toute discussion en un affrontement. Il n'a pas changé mais au moins il perçoit son attitude avec humour, et ça nous suffit amplement, à moi et à ses autres amis.

Si vous avez obtenu une note de 15 % ou moins, vous confondez vous aussi affirmation de soi et agressivité, seulement vous percevez tout geste d'affirmation de soi comme agressif et hostile. L'affirmation de soi et l'agressivité sont deux phénomènes bien différents. L'affirmation de soi est l'expression de son opinion d'une manière socialement acceptable. Ça ne veut pas dire de prononcer des paroles blessantes à l'égard d'autres personnes dans le feu de la discussion, non plus que de n'abandonner qu'au moment où votre interlocuteur capitule.

Ceux qui obtiennent de très faibles notes dans ce test sont considérés comme de bonnes personnes. Et elles le sont, en fait : elles ne blesseraient les gens pour rien au monde. Mais elles sont aussi perçues comme des personnes assez ternes et peu intéressantes. Il est difficile de connaître une personne qui n'exprime jamais son opinion de peur que la discussion dégénère. Si cela vous décrit bien, vous devriez vous efforcer de vous exprimer davantage. Rappelez-vous que la plupart des gens aiment discuter ferme, et il faut pour cela que vous exprimiez vos idées et vos opinions.

Pour bien discuter, vous n'avez pas à dire aux gens que vous avez tort. Appliquez-vous à faire des phrases au « je ». Dites par exemple « J'ai toujours pensé que… » ou « Il me semble que… ». Aussi longtemps que vous ne dites pas aux autres qu'ils sont stupides et ignorants, ils ne vont pas vous tenir rigueur de vos opinions. Et ils seront probablement en mesure de se faire une meilleure idée de qui vous êtes.

QUATRIÈME PARTIE

VIVRE À DEUX

Cette section vous dira si vous possédez ou non les qualités qu'il faut pour avoir de bons rapports amoureux. Quand vous aurez complété les tests de cette partie du livre, vous saurez :

- Quel amour vous entretenez envers votre compagnon ou compagne.
- Quelle est votre capacité à entretenir des rapports intimes.
- Si vous êtes romantique.
- Si vous êtes jaloux.
- Si vous percevez votre compagnon ou compagne d'une manière positive.

COMMENT AIMEZ-VOUS VOTRE PARTENAIRE ?

L'ÉCHELLE DE L'AMOUR TRIANGULAIRE

INSTRUCTIONS : Pour compléter l'échelle suivante, inscrivez dans les espaces le nom d'une personne que vous aimez ou que vous affectionnez particulièrement. Puis notez jusqu'à quel point vous êtes d'accord avec chacun des énoncés en utilisant une échelle de neuf niveaux où 1 = pas du tout, 5 = partiellement, et 9 = entièrement. Notez par des chiffres intermédiaires votre niveau d'accord avec les énoncés.

- [ ] 1. J'appuie activement le bien-être de ...
- [ ] 2. J'entretiens des rapports chaleureux avec ...
- [ ] 3. Je peux compter sur ... dans les moments difficiles.
- [ ] 4. ... peut compter sur moi dans les moments difficiles.
- [ ] 5. Je suis prêt à partager ma personne et mes biens avec ...
- [ ] 6. Je reçois beaucoup de soutien affectif de ...

☐　7. Je donne beaucoup de soutien affectif à ...

☐　8. Je communique bien avec ...

☐　9. Je tiens beaucoup à ... dans ma vie.

☐　10. Je me sens près de ...

☐　11. J'entretiens d'agréables rapports avec ...

☐　12. Je pense bien comprendre ...

☐　13. Je crois que ... me comprend bien.

☐　14. Je sens que je peux me fier entièrement à ...

☐　15. Je partage certaines confidences avec ...

☐　16. Je m'excite rien qu'à voir ...

☐　17. Je me surprends à rêver à ... dans la journée.

☐　18. Ma relation avec ... est très romantique.

☐　19. Personnellement, je trouve ... très séduisant(e).

☐　20. J'idéalise ...

☐　21. Je ne peux imaginer que quelqu'un d'autre que ... puisse me rendre aussi heureux.

☐　22. Je préfère être avec ... qu'avec quiconque.

☐　23. Il n'y a rien de plus important pour moi que ma relation avec ...

☐　24. J'aime particulièrement les rapports physiques avec ...

☐　25. Il y a quelque chose de presque magique dans ma relation avec ...

☐　26. J'adore ...

☐　27. Je ne pourrais vivre sans ...

☐　28. Ma relation avec ... est passionnée.

- [ ] 29. Quand je vais voir des films d'amour et que je lis des romans d'amour, je pense à ...
- [ ] 30. Je fantasme sur ...
- [ ] 31. Je suis convaincu d'aimer ...
- [ ] 32. Je tiens à conserver ma relation avec ...
- [ ] 33. À cause de mon engagement envers ..., je ne laisserais personne s'immiscer entre nous.
- [ ] 34. Je crois à la stabilité de ma relation avec ...
- [ ] 35. Je ne laisserais rien briser mon engagement envers ...
- [ ] 36. Je crois que mon amour pour ... se maintiendra jusqu'à la fin de ma vie.
- [ ] 37. Je me sentirai toujours très responsable de ...
- [ ] 38. Je considère mon engagement envers ... comme très ferme.
- [ ] 39. Je ne peux imaginer mettre un terme à ma relation avec ...
- [ ] 40. Je suis sûr de mon amour pour ...
- [ ] 41. Je perçois ma relation avec ... comme permanente.
- [ ] 42. Je perçois ma relation avec ... comme une bonne décision.
- [ ] 43. Je me sens responsable de ...
- [ ] 44. J'ai l'intention de poursuivre ma relation avec ...
- [ ] 45. Même quand ... a un comportement difficile, je tiens à poursuivre notre relation.

SOURCE : « The Triangular Love Scale », tiré de *The Triangle of Love : Intimacy, Passion, Commitment*, de Robert Sternberg. Publié avec l'autorisation de Basic Books, une division de Harper-Collins Publishers, Inc.

Comment marquer les points de l'Échelle de l'amour triangulaire

L'échelle de l'amour triangulaire de Robert Sternberg reflète sa conclusion selon laquelle l'amour compte trois éléments : la passion, l'intimité et l'engagement, de sorte que, pour cette échelle, vous aurez trois résultats distincts. Les 15 premiers items reflètent l'intimité, les 15 suivants la passion, et les 15 derniers, l'engagement. Additionnez vos marques pour chaque groupe de 15 items afin de déterminer votre niveau pour ces trois éléments. Vous pouvez consulter les renseignements qui suivent pour déterminer votre position par rapport à un groupe comparatif d'hommes et de femmes de 31 ans d'âge moyen, mariés ou engagés dans une relation stable.

Comment vous comparez-vous à d'autres ?

Résultat			Pourcentage
Intimité	*Passion*	*Engagement*	
93	73	85	15
102	85	96	30
111	98	108	50
120	110	120	70
129	123	131	85

À propos de l'amour

Sternberg affirme que l'amour est comme un triangle et que le meilleur amour est un triangle équilatéral, où les trois côtés sont égaux. Ce qu'il veut dire par là, évidemment, est que l'amour compte trois éléments : l'intimité, la passion et l'engagement, et qu'il est à son meilleur quand il renferme ces trois facteurs dans à peu près les mêmes proportions. Vous pouvez donc vous compter chanceux si vos marques sur les trois échelles sont au-dessus de la moyenne et à peu près identiques.

Si vos notes dans les trois dimensions de l'amour sont très différentes les unes des autres, ou si une ou deux notes se situent sous la moyenne, ça ne veut pas nécessairement dire que votre relation est en péril. Toutes les relations ont leurs moments difficiles, et la note que vous vous mériteriez dans un an risquerait d'être fort différente de celle d'aujourd'hui. Vous feriez bien dans ce cas de repasser le test et de répondre comme dans les meilleurs moments de votre relation, ce qui vous donnerait une indication de son potentiel.

Vos points reflètent sans doute aussi le temps que vous avez passé en compagnie de votre compagnon ou compagne. Nous sommes portés à nous engager dans une relation amoureuse quand il y a une « chimie », ou une passion, comme l'appelle Sternberg. Cet élément est donc habituellement à son plus haut niveau dans la première année ou les deux premières années de la relation. Bien que la passion a tendance à s'étioler avec le temps, les relations les plus valables continuent d'avoir une bonne dose de cet élément.

La deuxième étape de la relation est généralement marquée par l'éclosion de l'intimité. Quand nous sommes intéressés et attirés par quelqu'un, nous commençons à nous confier à lui ou elle, nous voulons partager nos secrets avec cette personne, lui raconter notre vie. Cet élément atteint en général un sommet un ou deux ans après le début de la relation, mais dans les meilleures relations, celui-ci perdure indéfiniment.

À un moment donné, après six mois ou six ans, apparaît un sentiment d'engagement envers le compagnon ou la compagne. Nous attachons une importance telle à la relation que nous sommes prêts à tout faire pour la maintenir. C'est ce sens de l'engagement qui nous permet de traverser les tempêtes au sein de toute relation. L'engagement tend à être le plus intense chez les conjoints qui partagent une vie commune depuis plusieurs années.

Les couples les plus heureux sont ceux où les conjoints ont des triangles amoureux identiques l'un par rapport à l'autre. Sternberg, qui se souvient manifestement de sa géométrie, appelle cela congruité. En d'autres mots, si vous entretenez une passion intense pour votre compagnon ou compagne mais que votre intimité laisse à désirer, vous risquez des difficultés si ce dernier ou cette dernière a une très forte note en intimité et une marque très faible en passion. Bref, la relation est des plus harmonieuses quand notre compagnon ou compagne entretient le même sentiment à notre égard que nous voudrions qu'il ou elle nous témoigne. Vous pourriez demander à votre compagnon ou compagne de passer ce test afin de déterminer vos compatibilités réciproques. Peut-être avez-vous tous les deux des triangles amoureux congrus?

«Comment t'aimer? Laisse-moi compter les façons.» La réponse de Sternberg: il existe huit façons d'aimer. Il en vient à ce chiffre en considérant des combinaisons possibles des trois composantes de l'amour. En évaluant l'intensité relative de ces trois composantes, vous pouvez vous inspirer des renseignements ci-dessous pour déterminer comment vous aimez votre compagnon ou compagne.

Le non-amour. Aucun des trois éléments de l'amour n'est présent dans ce type de relation. C'est là le genre de relation que nous entretenons avec la plupart des gens sur une base quotidienne. Si cela décrit le sentiment que vous entretenez pour votre compagnon ou compagne ou vice versa, votre relation est en péril.

La sympathie. C'est le sentiment que nous ressentons quand il y a peu ou pas de passion et d'engagement, mais que l'intimité est forte. C'est le sentiment qui nous anime en majorité à l'égard de nos amis intimes.

L'exaltation. C'est ce qui nous incite à entreprendre une relation. L'exaltation caractérise les relations où la passion est intense mais l'intimité et l'engagement sont faibles.

L'amour vide. C'est ce que l'on éprouve quand l'engagement est fort mais la passion et l'intimité sont faibles ou inexistantes. On retrouve cette caractéristique majoritairement chez les conjoints mariés depuis longtemps, qui restent ensemble pour le bien des enfants et qui veulent maintenir la relation même s'ils ne partagent ni le corps ni l'esprit.

L'amour romantique. C'est le plus courant chez les couples dont la relation est assez récente. La passion et l'intimité sont intenses, mais les conjoints ne sont pas ensemble depuis assez longtemps ou n'ont pas partagé assez d'expériences pour avoir développé un fort sentiment d'engagement réciproque.

L'amour compatissant. Dans ce type d'amour, l'intimité et l'engagement sont intenses mais la passion est déficiente. On le retrouve chez les conjoints qui sont ensemble depuis un certain temps et qui sont satisfaits l'un de l'autre, mais chez qui l'attirance sexuelle s'est effritée.

L'amour bébête. Dans ce genre d'amour, la passion et l'engagement sont élevés tandis que l'intimité est faible. Il s'applique à des couples qui ont une forte chimie commune et qui décident de se marier pour cette raison, même s'ils ne se connaissent guère. Ils acquièrent parfois un sentiment d'intimité après s'être engagés mutuellement. Parfois aussi, ils constatent qu'ils ne s'aiment pas beaucoup.

L'amour consommé. Cet amour parfait renferme les trois éléments en généreuse quantité. C'est le genre d'amour que nous rêvons tous de vivre. Comme le laisse entendre Sternberg, il est plus facile d'atteindre cet état que de s'y maintenir.

Puissiez-vous trouver l'amour consommé, vous et votre partenaire.

POUVEZ-VOUS ÊTRE INTIME ?

L'ÉCHELLE RÉVISÉE DES ATTITUDES INTIMES

INSTRUCTIONS : Les items suivants transcrivent les sentiments et les attitudes que l'on a envers les autres, ainsi que les relations que l'on entretient avec les gens. Les items traitent particulièrement du rapprochement, de l'intimité et de la confiance. Écrivez dans l'espace prévu à cette fin la lettre correspondant le mieux à votre sentiment par rapport à l'item.

A. En désaccord complet.
B. En désaccord partiel.
C. En accord et en désaccord en parts égales.
D. En accord partiel.
E. En accord complet.

☐ 1. J'aime partager mes sentiments avec autrui.

☐ 2. J'aime me sentir près des autres.

☐ 3. J'aime entendre les autres parler de leurs sentiments.

☐ 4. Je crains d'être rejeté si j'exprime mes sentiments aux autres.

☐ 5. Dans une relation intime, je crains d'être dominé.

☐ 6. Je doute souvent d'être accepté dans une relation intime.

☐ 7. Je crains de trop faire confiance aux gens.

☐ 8. Exprimer mes émotions me rapproche de l'autre.

☐ 9. Je ne veux pas exprimer des émotions qui pourraient blesser une autre personne.

☐ 10. Dans une relation intime, je suis trop critique envers les gens.

☐ 11. Je veux me sentir près des gens qui m'attirent.

☐ 12. Je suis porté à révéler mes sentiments les plus intimes aux autres.

☐ 13. Je crains de parler de mes désirs sexuels à quelqu'un qui m'attire beaucoup.

☐ 14. Je veux me rapprocher d'une personne qui est attirée par moi.

☐ 15. Je ne veux pas me rapprocher parce qu'il pourrait y avoir conflit.

☐ 16. Je recherche une relation intime avec les gens qui m'attirent.

☐ 17. Quand les gens se rapprochent, ils ont tendance à ne pas s'écouter l'un l'autre.

☐ 18. Les relations intimes me procurent une grande satisfaction.

☐ 19. Je suis en quête de relations intimes.

☐ 20. Il est important pour moi d'établir des relations intimes.

☐ 21. Je n'ai pas besoin de partager mes sentiments et mes pensées avec les autres.

☐ 22. Quand je me rapproche beaucoup de quelqu'un, je risque d'observer des choses qu'il m'est difficile d'accepter.

☐ 23. Je suis porté à accepter à peu près tout de mes intimes.

☐ 24. Je défends mon espace vital de façon à ce que les autres ne se rapprochent pas trop.

☐ 25. Je suis porté à ne pas faire confiance aux gens qui se préoccupent de rapprochement et d'intimité.

☐ 26. Je crains de perdre mon individualité dans une relation intime.

☐ 27. J'ai peur de perdre le contrôle si j'amorce une relation intime sérieuse.

☐ 28. Être honnête et ouvert avec une autre personne me fait sentir plus près d'elle.

☐ 29. Si j'étais quelqu'un d'autre, je serais intéressé à me connaître.

☐ 30. Je ne me rapproche que des gens avec lesquels je partage des intérêts communs.

☐ 31. Révéler des secrets de ma vie sexuelle me fait me sentir près des autres.

☐ 32. En général, je peux me sentir tout aussi près de quelqu'un du même sexe que de quelqu'un du sexe opposé.

☐ 33. Quand quelqu'un est attiré physiquement par moi, je désire habituellement devenir plus intime avec lui ou elle.

☐ 34. Il m'est difficile d'entrer dans l'intimité de plus d'une personne.

☐ 35. Habituellement, je me sens bien quand je suis ouvert et intime avec quelqu'un.

☐ 36. Je peux habituellement considérer le point de vue de l'autre.

☐ 37. Je veux être assuré de pouvoir me contrôler avant de chercher à entrer dans l'intimité de quelqu'un.

☐ 38. Je refuse l'intimité.

☐ 39. Les histoires de relations interpersonnelles ont tendance à me toucher.

☐ 40. Me dévêtir avec les membres d'un groupe accroît mon sentiment d'intimité.

☐ 41. J'essaie de faire confiance et d'être près des autres.

☐ 42. Je suis d'avis que les gens qui veulent entrer dans l'intimité des autres ont des raisons cachées pour vouloir un rapprochement.

☐ 43. Quand je deviens intime avec quelqu'un, la possibilité que je me fasse manipuler augmente.

☐ 44. Je suis en général une personne réservée.

☐ 45. Je trouve que le sexe et l'intimité sont identiques, et l'un ne peut exister sans l'autre.

☐ 46. Je ne peux être intime que dans une relation physique.

☐ 47. Les exigences qu'ont à mon égard ceux avec qui j'entretiens des relations intimes inhibent souvent ma propre satisfaction.

☐ 48. Je ferais des compromis pour conserver une relation intime.

☐ 49. Quand je suis attiré physiquement par quelqu'un, je désire habituellement entrer dans l'intimité de cette personne.

☐ 50. Je comprends et j'accepte que l'intimité mène à de mauvais sentiments aussi bien qu'à de bons sentiments.

Source : Edmund Amidon, V. K. Kumar et Thomas Treadwell, « Measurement of Intimacy Attitudes : The Intimacy Attitude Scale – Revised », *Journal of Personality Assessment*, 1983, p. 635-639. Publié avec l'autorisation du détenteur des droits.

Comment marquer les points

Utilisez les équivalences suivantes pour les items ci-dessous :

A = 1 point
B = 2 points
C = 3 points
D = 4 points
E = 5 points

1	14	28	36
2	16	29	39
3	18	31	41
8	19	32	48
11	20	33	49
12	23	35	50

Les items ci-après doivent être notés en sens inverse. Utilisez à cet effet le tableau d'équivalences suivant:

A = 5 points
B = 4 points
C = 3 points
D = 2 points
E = 1 point

4	15	27	43
5	17	30	44
6	21	34	45
7	22	37	46
9	24	38	47
10	25	40	
13	26	42	

Additionnez les totaux des deux groupes d'items pour obtenir votre résultat final. Plus votre note est élevée, plus grand est votre désir et votre capacité à vous engager dans des relations intimes.

Comment vous comparez-vous à d'autres?

Résultat	Pourcentage
150	15
161	30
172	50
183	70
194	85

À propos de l'intimité

Tout spécialiste serait sans doute d'accord pour dire que la capacité à pouvoir s'engager dans des relations intimes est très enviable. En fait, le Dr Thomas Treadwell et ses collègues, qui ont conçu l'Échelle révisée de l'attitude intime, ont fait la preuve que de fortes marques sur cette échelle sont associées à d'autres qualités recherchées. D'après eux, les gens qui se méritent de bonnes notes sont portés à s'engager dans des relations plus intimes, à s'ouvrir plus facilement aux autres, à se sentir plus en contrôle de leur sort, à être plus actifs et à se sentir moins aliénés personnellement ainsi que par les amis et la famille. Cette constatation tend à confirmer ce que d'innombrables livres de psychologie populaire affirment depuis des années : pour avoir une vie remplie et heureuse, il faut accroître sa capacité à entretenir des relations intimes avec les autres.

Je me compte peut-être parmi les rares psychologues à dire ceci, mais je crois qu'on a trop mis l'accent sur l'intimité. Je serais d'accord pour affirmer que les gens qui se méfient toujours des autres, qui pensent que de partager des sentiments avec quiconque est un signe de faiblesse, sont destinés à demeurer seuls et malheureux. Mais je crois aussi que les individus qui sont perpétuellement en quête de l'intimité peuvent être extrêmement fatigants. Ceux d'entre vous qui se souviennent du mouvement de psychothérapie de groupe des années 1970 se rappellent sûrement de l'attitude insupportable de leurs amis dans les premières semaines qui suivaient leurs ateliers de psychothérapie collective. J'aimais participer à mon atelier de psychothérapie de groupe mais, heureusement, je me suis vite ressaisi. Cette ouverture et cette honnêteté débridées étaient pour le moins pénibles.

Comme pour beaucoup d'aspects de la vie, quand on aborde l'intimité, la modération a bien meilleur goût. Les gens devraient être prudents à ce chapitre. Il est bon bien sûr d'entretenir une grande intimité avec un conjoint ou un partenaire de longue date. L'aspect le plus valable d'une telle relation, d'après moi, consiste à savoir que votre meilleur ami sera toujours là pour vous, que vous aurez toujours quelqu'un avec qui partager vos peurs et vos interrogations et qui pourra vous donner son soutien quand vous en aurez besoin.

Mais même avec un compagnon ou une compagne, on peut vouloir trop d'intimité. Bien que la plupart d'entre nous se sentiraient près de quelqu'un qui partagerait ses secrets les plus intimes et les plus sombres, nous ne voulons pas en entendre parler à tous les jours. J'ai vu plusieurs couples se séparer parce qu'une des deux personnes n'arrêtait pas d'ennuyer l'autre avec ses peurs et ses états d'âme. Il vient un temps, qui diffère selon les personnes et les couples, où il faut déclarer : « Assez, c'est assez ! J'ai écouté ce que tu avais à dire. Maintenant, il faut passer à autre chose. »

La plupart des gens sont plus heureux s'ils ont quelques amis intimes avec qui ils peuvent échanger. Mais encore là, il faut bien les choisir. Il n'est pas nécessaire de tout échanger avec n'importe quel ami. S'il est difficile de se sentir près de quelqu'un qui ne partage guère les détails intimes de sa vie, il est possible par contre de partager trop avec les autres. Ça ne m'est jamais arrivé personnellement, mais ma femme Meredith a dû mettre un frein à des amitiés devenues trop envahissantes. Elle avait un pointage élevé sur l'Échelle de l'intimité, et avait aussi quelques amies qui l'épuisaient. Elle disait que le temps passé en leur compagnie commençait à ressembler à une thérapie plutôt qu'à une amitié. Elle aime offrir son aide quand ses amies en ont besoin, mais elle aime aussi s'amuser un peu.

Comme la plupart des tests de ce livre, celui-ci a été conçu pour aider les chercheurs à mieux comprendre l'intimité et non pas pour devenir un instrument d'évaluation clinique. Si donc vous avez obtenu une marque très faible ou très forte, ça ne veut pas nécessairement dire que vous n'êtes pas normal. Les statistiques ont été établies d'après un groupe de personnes normales, et on s'est efforcé de ne pas y inclure des gens qui avaient des difficultés reliées à l'intimité. Si vous avez obtenu une note extrême, toutefois, vous feriez bien de vous observer de près. Si votre marque est de 140 ou moins, vous pourriez vous demander si vous ne vous fermez pas un peu trop aux autres. Si vous vous sentez seul ou isolé, votre note faible pourrait vous éclairer sur la raison de ce phénomène. Si votre note est de 210 ou plus, vous pourriez vous demander si l'intensité de vos sentiments n'accable pas les gens dans votre vie. Si vous preniez peut-être un peu moins de place, les gens apprécieraient sans doute davantage votre compagnie.

Le plus important est probablement de savoir si vous et votre compagnon ou compagne avez le même résultat. J'ai la conviction que deux personnes réservées peuvent jouir d'une relation aussi gratifiante que des conjoints qui partagent chacune de leurs pensées. Mais vous risquez d'être très frustré si le résultat de votre compagnon ou compagne est très différent du vôtre. Aucune donnée scientifique ne permet d'établir précisément l'écart susceptible de causer des difficultés, mais je serais porté à croire que si cet écart se situe dans les 40 points ou plus, ils pourraient s'attendre à des moments difficiles. Si vous échouez ce test, parlez-en à votre compagnon ou compagne. Parlez de vos réactions par rapport aux items individuels. Plus vous connaîtrez votre compagnon ou votre compagne, mieux établie et plus heureuse sera votre relation.

Le Dr Treadwell ne soumet pas de statistiques distinctes pour les hommes et pour les femmes, mais on peut penser que les hommes obtiennent en moyenne des notes plus faibles que les femmes. Il semble aussi probable, d'après des études psychologiques, que les hommes interprètent plusieurs des items différemment des femmes. Comme exemple de cela, prenons le premier item : « J'aime partager mes sentiments avec autrui. » Un homme pourrait répondre « En accord » parce qu'il aime parler de ses coups au golf ou de ses réussites professionnelles avec ses amis. Sa femme pourrait aussi répondre « En accord » en songeant qu'elle aime parler à ses amies des difficultés qu'elle rencontre avec ses parents ou de ses sentiments à l'égard du petit ami de son adolescente. Bref, les hommes et les femmes ont des opinions très différentes sur le sens de l'intimité.

ÊTES-VOUS ROMANTIQUE ?

L'ÉCHELLE DU ROMANTISME

INSTRUCTIONS : Il y a ci-dessous des énoncés obtenus de jeunes gens amoureux, ou tirés d'articles de revues et de journaux ainsi que de livres sur l'amour. Donnez votre opinion sur chaque item en utilisant l'échelle de pointage qui suit. Il n'y a ni bonne ni mauvaise réponse.

1 = En désaccord complet.
2 = En désaccord partiel.
3 = En accord et en désaccord en parts égales.
4 = En accord partiel.
5 = En accord complet.

☐ 1. L'amour est cet étrange sentiment qui s'empare d'une personne par rapport à une autre personne.

☐ 2. On ne peut que tomber amoureux quand on rencontre la bonne personne.

☐ 3. Un bon indice d'amour : « Chaque fois que nous sommes ensemble, nous ressentons quelque chose d'étrange en nous. »

☐ 4. On ne « tombe pas amoureux », on réalise l'amour.

☐ 5. Le désir d'être toujours avec quelqu'un est un bon indice d'amour.

☐ 6. L'amour parfait veut dire que l'on est toujours satisfait avec son compagnon ou sa compagne.

☐ 7. Un mariage de convenance peut réussir.

☐ 8. Le grand amour ne se trouve qu'une fois.

☐ 9. Le grand amour n'est pas du tout fondé sur l'attirance physique.

☐ 10. Les gens amoureux ignorent souvent ce qui les entoure.

☐ 11. Les difficultés s'aplanissent quand deux personnes sont vraiment amoureuses.

☐ 12. L'amour fait habituellement battre le cœur plus vite.

☐ 13. La force de vos sentiments réciproques souligne le fait que vous êtes faits l'un pour l'autre.

☐ 14. L'amour peut se développer après le mariage.

☐ 15. Les gens n'ont pas besoin de longues fiançailles s'ils sont faits l'un pour l'autre.

☐ 16. Le grand amour dure toujours.

☐ 17. L'amour donne parfois une angoisse.

☐ 18. Quand on est amoureux, il est difficile de voir les défauts de l'autre.

☐ 19. Le grand amour s'accompagne habituellement d'une perte d'appétit.

☐ 20. L'amour est un sentiment absolu ; il n'y a pas de demi-mesure.

☐ 21. Quand on est amoureux, il ne faut qu'aimer et ne pas se demander pourquoi.

☐ 22. Une personne amoureuse ne s'ennuie jamais.

☐ 23. Il ne faut pas s'évertuer à conserver un amour.

☐ 24. Il faut beaucoup d'efforts pour réussir son mariage.

☐ 25. L'amour arrive toujours à s'exprimer.

☐ 26. Si c'est le grand amour, il est inutile de se mettre à la recherche de l'autre.

☐ 27. On trouve inévitablement le bonheur dans le grand amour.

☐ 28. L'amour n'advient pas, il s'apprend.

☐ 29. Les gens amoureux sont toujours attentionnés.

☐ 30. C'est de l'amour si ça vous fait sentir bien.

☐ 31. Vous ne tombez vraiment amoureux qu'une fois dans votre vie.

Source : Cette échelle constitue une version modifiée du « Dean's Romanticism Scale », élaboré par feu le Dr Dwight G. Dean. Le Dr Dean présenta ce test lors d'une conférence prononcée dans le cadre de *The Groves Conference on Marriage and the Family*, Ohio State University, Columbus, Ohio, le 4 avril 1960.

Comment marquer les points

Faites la somme des points obtenus pour les items suivants :

1	11	19	27
2	12	20	29
3	13	21	30
5	15	22	31
6	16	23	
8	17	25	
10	18	26	

Les items suivants doivent être notés en sens inverse. Pour chacun des items qui suivent, soustrayez votre réponse de 6 ; après avoir déterminé le total pour ces items, additionnez-le au total du groupe d'items précédent.

4	18
7	24
9	28
14	

Comment vous comparez-vous à d'autres ?

Résultat	Pourcentage
75	15
80	30
86	50
92	70
97	85

À propos du romantisme

Morton Runt, le prolifique auteur en sciences sociales, a noté que les Nord-Américains sont ambivalents en ce qui concerne l'amour. Ils croient dur comme fer à l'amour romantique, mais savent parfaitement que l'amour ne se présente pas ainsi dans la réalité. J'aurais tendance à me ranger du côté de Hunt, mais j'élargirais son point de vue pour dire que l'opinion que l'on entretient sur l'amour romantique dépend de l'état de sa propre vie amoureuse. Quand on est amoureux, on est porté à endosser un axiome comme « L'amour peut tout. » Mais après avoir vécu une relation amoureuse durant quelques années, l'axiome qui s'applique le mieux est : « L'amour ne peut pas tout. » Comme beaucoup de fois dans la vie, l'expérience nous montre qu'on peut difficilement demeurer idéaliste à l'égard de l'amour romantique.

Les normes utilisées ici sont fondées sur un échantillonnage d'étudiants universitaires portés davantage au romantisme que des gens plus âgés et expérimentés. Si vous êtes trop âgé pour faire partie de la génération X, et que votre note se situe sous les 15 %, vous n'êtes pas forcément et irrémédiablement cynique. Vous possédez peut-être simplement la sagesse qui vient parfois avec l'âge.

Je peux vous sembler cynique à propos de l'amour romantique, et peut-être que je le suis. Bien que je sois convaincu que rien ne se compare à l'exaltation de l'amour, j'ai vu trop de jeunes gens se marier sur la base d'un intense attachement affectif réciproque, et qui se sont aperçus plus tard qu'ils étaient absolument incompatibles sous tous les autres rapports. Devenir amoureux est une expérience merveilleuse, mais cela ne justifie pas une décision qui va engager le reste de votre vie. Quand on choisit un compagnon ou une compagne pour la vie, il faut agir avec objectivité, rationalité et autant de perspicacité que possible. Hélas, l'amour rend difficile l'application de ces principes. Plusieurs chercheurs ont confirmé l'opinion commune voulant que l'amour fait voir en rose l'être aimé.

Comme vous vous en doutez, les hommes et les femmes diffèrent au chapitre de l'amour romantique, quoique la nature des différences risque de vous surprendre. Jusqu'à récemment, les hommes se sont en général mérités des résultats plus élevés que les femmes pour le genre de test présenté ici. Les hommes étaient davantage portés à penser que l'on doit se marier par amour en faisant fi des différences de milieux, de mentalité ou de personnalité. Les femmes avaient tendance à être plus pratiques, peut-être même calculatrices, hésitant à épouser un homme dont elles étaient amoureuses s'il ne possédait pas d'autres qualités recherchées par elles.

L'explication de cette différence tient à ce que traditionnellement le niveau de vie de la femme était largement déterminé par l'homme qu'elle choisissait pour partager sa vie. Les hommes pouvaient se permettre d'être romantiques. La femme qu'ils choisissaient n'allait pas en général déterminer le milieu dans lequel ils allaient vivre, la qualité des vêtements qu'ils allaient porter, ou les fonds dont ils allaient disposer pour envoyer leurs enfants à l'université. Les femmes, par contre, avaient de bonnes raisons pour ne pas tenir compte des raisons du cœur.

Il y a de cela une génération, au moment où un plus grand nombre de femmes amorçaient une carrière, plusieurs chercheurs en sciences sociales établirent qu'à mesure qu'elles allaient accéder à l'indépendance financière, les femmes deviendraient plus romantiques. Et c'est précisément ce qui s'est produit. Des enquêtes conduites au cours des dernières années n'ont révélé que peu ou pas de différences entre les universitaires, hommes et femmes, dans les réponses sur l'échelle du romantisme.

Mais certaines différences semblent persister entre les sexes. Le Dr Zick Rubin, l'un des plus réputés «chercheurs sur l'amour», a constaté que les hommes sont plus portés à tomber amoureux, moins enclins à mettre un terme à une relation et qu'ils souffrent davantage d'une rupture. Fait intéressant, même si une relation est plus importante aux yeux d'une femme que d'un homme, la femme sera plus encline à y mettre un terme si elle sent que cela vaudra mieux pour elle à long terme. Les femmes semblent encore faire preuve de plus d'objectivité que les hommes pour ce qui est de l'amour.

Retournons momentanément à l'observation de Hunt qui veut qu'en amour, on est carrément ambivalent. Ce qu'il signifie par là, c'est que la plupart d'entre nous sommes assez clairvoyants et rationnels pour ne pas laisser notre cœur dicter le cours de notre vie. Nous voulons tous tomber amoureux, mais nous avons l'intelligence de tomber amoureux de gens qui nous ressemblent en termes de milieu, de tempérament et de valeurs, des facteurs importants pour la stabilité d'une relation. Même si pour la forme nous parlons en bien du romantisme, une partie de nous reste assez objective pour faire des choix assez judicieux quand il s'agit de sélectionner un partenaire.

Un résultat très élevé sur cette échelle signifie peut-être que vous vous nuisez à vous-même en laissant vos émotions dicter votre raison. Par exemple, des jeunes femmes aux prises avec une grossesse non désirée ont des notes plus élevées au chapitre du romantisme que les autres jeunes femmes. Un problème plus répandu parmi les personnes extrêmement romantiques est une tendance à s'engager trop rapidement et ensuite de se sentir désillusionnées au moment où le romantisme commence à s'effriter. Je connais une personne dans la quarantaine, très brillante et qui réussit bien dans la vie, et qui prépare son troisième divorce après une union qui aura durée deux ans cette fois-ci. Janet, c'est son prénom, décrit sa situation ainsi : « Je suis tombée follement amoureuse d'Allen, et je désirais ardemment un enfant de lui avant d'être trop vieille. Mais après la naissance du bébé, je me suis rendu compte jusqu'à quel point il est ennuyant et insipide. Dès que j'aurai remis mon entreprise sur les rails, je vais le quitter. »

Malheureusement pour Janet, elle ne perçoit pas assez bien son schéma de comportement pour voir à quel point le romantisme nuit à sa vie. Barbara, par contre, ne possède pas l'idéal romantique de Janet, mais elle a appris à établir un équilibre. Voici son histoire : « J'ai épousé Tim à l'âge de 19 ans parce que j'étais inconditionnellement amoureuse de lui. Mais je me suis rendu compte très vite qu'il n'était pas fait pour moi, et je me réjouis d'être sorti du pétrin comme je l'ai fait. Je sais bien que je deviens amoureuse facilement, mais j'ai juré qu'on ne m'y reprendrait plus. Quand j'ai rencontré Ray, je suis devenue très amoureuse de lui en deçà d'un mois, mais je lui ai dit que je n'allais pas l'épouser avant d'avoir vécu avec lui pendant un certain temps. Après deux ans, alors que mon cœur ne battait plus à l'idée de le revoir, j'ai su que je pourrais agir avec assez d'objectivité pour prendre la bonne décision.

L'histoire de Barbara peut ne pas être très romantique, mais sa vie est beaucoup plus agréable que celle de Janet. Le romantisme n'est pas à dédaigner, j'en conviens, et tomber amoureux est proprement merveilleux, mais la majorité des gens se porteraient beaucoup mieux s'ils pouvaient le considérer comme le glaçage sur le gâteau plutôt que la base de l'engagement dans une relation.

ÊTES-VOUS JALOUX ?

L'ÉCHELLE D'AUTOÉVALUATION DE LA JALOUSIE

INSTRUCTIONS : L'échelle qui suit décrit des situations dans lesquelles vous pourriez être ou avoir été impliqués. D'après l'échelle de pointage ci-après, accolez-leur une note correspondant à ce que vous ressentiriez si vous y étiez confrontés.

> 0 = Content.
> 1 = Un peu contrarié.
> 2 = Contrarié.
> 3 = Très contrarié.
> 4 = Extrêmement contrarié.

☐ 1. Votre partenaire exprime le désir que vous vous engagiez tous deux dans d'autres relations sentimentales.

☐ 2. Votre compagnon passe de plus en plus d'heures au travail en compagnie d'une employée qui pourrait l'attirer sexuellement.

☐ 3. Votre partenaire est intéressé(e) à se rendre à une fête et il ou elle apprend qu'il y aura là quelqu'un avec qui il ou elle a déjà eu une liaison amoureuse.

☐ 4. Lors d'une fête, votre partenaire serre dans ses bras quelqu'un d'autre que vous.

☐ 5. Vous remarquez que votre partenaire regarde quelqu'un d'autre.

☐ 6. Votre partenaire passe de plus en plus de temps dans des activités et des loisirs qui ne vous intéressent pas.

☐ 7. Dans une fête, votre partenaire embrasse quelqu'un que vous ne connaissez pas.

☐ 8. Votre patron, avec qui vous vous êtes toujours bien entendu, semble maintenant être plus intéressé au travail d'une collègue.

☐ 9. Votre partenaire passe plusieurs soirées dans un bar sans vous.

☐ 10. Votre partenaire a été promu(e) à un poste récemment, et ce poste implique beaucoup de déplacements, de dîners d'affaires et de réceptions, auxquels la plupart du temps vous n'êtes pas invité(e).

☐ 11. Dans une fête, votre partenaire danse avec quelqu'un que vous ne connaissez pas.

☐ 12. Votre collègue de travail et vous avez travaillé très fort pour élaborer un projet extrêmement important. Votre patron a cependant donné tout le crédit du travail à votre collègue.

☐ 13. Quelqu'un flirte avec votre compagnon ou votre compagne.

☐ 14. Lors d'une fête, votre partenaire embrasse à plusieurs reprises quelqu'un que vous ne connaissez pas.

☐ 15. Votre partenaire a des relations sexuelles avec quelqu'un d'autre.

☐ 16. Votre frère ou votre sœur bénéficie de plus de liberté, comme de revenir tard à la maison ou d'utiliser la voiture.

☐ 17. Votre partenaire vous dit que quelqu'un est séduisant.

☐ 18. Lors d'une rencontre avec un groupe d'amis, votre partenaire reste peu de temps en votre compagnie mais s'engage dans une conversation animée avec des gens.

☐ 19. Les grands-parents rendent visite à votre famille, et ils semblent porter une plus grande attention à un frère ou à une sœur qu'à vous.

☐ 20. Votre partenaire flirte avec quelqu'un d'autre.

☐ 21. Votre frère ou sœur semble bénéficier de plus d'affection ou d'attention de la part de vos parents.

☐ 22. Vous venez de découvrir que votre partenaire a une aventure avec quelqu'un au travail.

☐ 23. La personne qui a été votre assistant depuis plusieurs années au travail décide d'accepter un poste semblable dans une autre compagnie.

☐ 24. Le groupe auquel vous appartenez semble ne pas vous soumettre de projets, ne pas vous proposer d'activités, etc.

☐ 25. Votre meilleur ami semble soudainement vouloir faire des choses avec quelqu'un d'autre.

Source : Robert G. Bringle, S. Roach, C. Andier et S. Evenbeck, « Measuring the Intensity of Jealous Reactions », *Catalog of Selected Documents in Psychology*, 1979, p. 23-24. Publié avec l'autorisation du détenteur des droits.

Comment marquer les points de l'Échelle d'autoévaluation de la jalousie

Vous n'avez qu'à additionner ensemble les chiffres des items. La somme constitue votre marque.

Comment vous comparez-vous à d'autres ?

Résultat	Pourcentage
58	15
65	30
71	50
77	70
83	85

À propos de la jalousie

Existe-t-il un monstre plus effrayant et dangereux que la jalousie ? Je n'en suis pas sûr. Vous n'avez qu'à parcourir les journaux durant quelques semaines pour constater que la jalousie est à la base de gestes de violence et de cruauté. Les maris tuent leurs femmes. Les petites amies tuent leurs petits amis. Les maîtresses tuent à la fois les maris et les femmes. Le rituel est quotidien. Et d'innombrables autres histoires n'apparaissent pas dans les journaux. Filatures, agression du conjoint, enlèvements : tous des gestes qui font mal et qui ont pour base la jalousie.

Ce qui me surprend le plus dans la jalousie, je crois, c'est le nombre de personnes qui la considèrent comme une émotion parfaitement légitime et acceptable. Je me souviens d'une émission d'affaires publiques où des étudiants du secondaire parlaient de leurs relations avec leurs petites amies. Une majorité d'entre eux trouvait acceptable de frapper sa compagne si elle flirtait avec un autre garçon dans une fête. Et encore plus surprenant, plusieurs jeunes filles acquiesçaient à ce point de vue.

À chaque semestre, je demande aux étudiants de ma classe de sexualité humaine s'ils pensent que l'expérience de la jalousie est inévitable dans une relation amoureuse, et une majorité substantielle répond que oui. Certains d'entre eux affirment même que l'on peut évaluer l'amour que l'on a pour quelqu'un par la jalousie que l'on ressent. Et une minorité significative dira sans sourciller qu'elle abattrait un compagnon ou une compagne surpris avec quelqu'un d'autre.

Comment cela se peut-il ? Les gens ne se rendent-ils pas compte du caractère destructeur et nuisible de la jalousie ? Ne comprennent-ils pas que la jalousie n'a jamais remis une relation sur les rails et qu'elle a détruit un grand nombre d'unions, parfois de manière violente ?

Si vous obtenez un fort pointage sur cette échelle, ça ne signifie pas nécessairement que votre jalousie risque de vous mener à la violence. L'échelle est conçue pour une population normale. Mais par contre, une haute note signifie que vos accès de jalousie sont probablement à la source de difficultés dans votre relation, et que vous gagneriez à vous observer de plus près.

Il faut distinguer entre un sentiment d'insécurité et un sentiment de jalousie. Il est probablement inévitable de se sentir inquiet dans une relation amoureuse, particulièrement au début. Quand on devient amoureux pour la première fois, on veut s'assurer que notre compagne ou compagnon se préoccupe autant de nous que nous nous préoccupons de lui ou d'elle. En conséquence, si nous voyons l'être aimé s'entretenir vivement avec quelqu'un dans une fête, nous ne pouvons que nous demander s'il ou elle trouve l'autre personne plus intéressante que nous.

Mais ce n'est pas là de la jalousie. La jalousie est une émotion de colère agressive. Elle commande un geste, que nous nous en prenions à ceux qui nous ont trompés.

Les gens qui souffrent d'une jalousie intense ne sont pas des gens heureux. Tout d'abord, ils ont tendance à être peu sûrs d'eux-mêmes. Ils ne se sentent pas très assurés personnellement, de sorte qu'ils ont de la difficulté à croire que quelqu'un d'autre pourrait les aimer sincèrement. Il n'est donc pas surprenant, quand ils voient leur compagne ou leur compagnon parler à quelqu'un, que leur première idée en soit une de trahison. Ils s'attendent à cela au fond d'eux-mêmes parce qu'ils sont « sûrs » qu'ils ne sont pas assez bons pour mériter la loyauté de leur compagnon ou de leur compagne.

Les gens jaloux sont des personnes anxieuses qui perçoivent le monde comme un lieu menaçant. Ils s'attendent au pire, y compris des gens qu'ils aiment. Leur quête inquisitrice cherche à faire la preuve que leurs pires craintes sont fondées. Un sourire amical à une personne inconnue devient l'indice d'une aventure. Parler trop longtemps à un ami au téléphone trahit un manque d'amour. En fait, la jalousie n'est pas très jolie.

Si vous êtes une personne jalouse, tout n'est pas perdu : vous pouvez changer. Vous devrez faire des efforts, mais je suis sûr que vous en tirerez profit. Vous devez vous convaincre qu'il est à votre avantage que vous départir de ce sentiment destructeur. Chez tous les couples que j'ai vus en thérapie, je n'en ai eu aucun où la relation s'était améliorée grâce à la jalousie. Mais j'ai vu plusieurs relations dont la potentialité a été annihilée à jamais par cette même jalousie. Au début, votre compagne ou votre compagnon peut être flatté par votre jalousie. Avec de la chance, on pourrait la considérer comme un signe d'amour. Mais avant longtemps, il ou elle trouvera vos questions et accusations suffocantes. Cela creusera sûrement un écart entre vous deux, et à moins que vous changiez, il y a de fortes probabilités pour que vous vous retrouviez seul.

Vous devez vous parler à vous-même. Vous devez vous dire que vos craintes sont sans fondements. Vous devez vous retenir. Abstenez-vous de procéder à un interrogatoire si elle ou il arrive une demi-heure en retard. Serrez votre compagne ou votre compagnon dans vos bras et faites-lui part de votre joie de le ou de la revoir. Même si vos suspicions sont fondées, vous devez vous rappeler que les crises ne vont pas ramener l'autre. Vous avez une bien meilleure chance de regagner sa loyauté en lui rappelant votre amour et en l'invitant à discuter avec vous de tout problème dont vous pourriez souffrir.

Ne pas être jaloux ne veut pas dire que vous devez accepter tout ce que fait votre compagne ou votre compagnon. La jalousie ne m'a jamais affecté, mais je n'aimerais pas que ma femme s'enferme dans une chambre avec un homme lors d'une fête. Vous avez le droit de vous attendre à ce que votre partenaire obéisse tout comme vous à certaines règles de base. Si elle ou il viole l'une de ces règles, vous devez lui en parler. Vous pourriez dire : « Ça me blesse et ça me rend très mal à l'aise quand tu agis de cette façon devant mes amis. » Et, tout dépendant de la nature de la transgression, vous pourriez proposer des solutions. Si votre compagnon ou compagne a flirté ostensiblement avec une femme séduisante ou un homme charmant au cours d'une fête, vous pourriez lui dire : « Tu m'as rendu mal à l'aise ce soir, et si tu refais cela, je n'irai plus à aucune fête avec toi. » Si votre compagnon ou compagne est parti de la fête en compagnie d'une charmante personne pour revenir le matin suivant, vous pourriez lui dire : « Je ne peux continuer à vivre avec toi si tu passes des nuits avec quelqu'un d'autre. Tu dois choisir entre moi et ta liberté. »

Le but consiste à faire savoir au compagnon ou à la compagne ce que vous ressentez et les choix que vous lui offrez. En lui laissant le choix, vous vous donnez la chance d'obtenir ce que vous désirez. En exigeant qu'il ou elle réponde à vos désirs, particulièrement s'ils sont de nature hostile et abusive, vous vous assurez de le ou de la perdre à long terme.

QUE RESSENTEZ-VOUS POUR VOTRE PARTENAIRE?

LE QUESTIONNAIRE DES SENTIMENTS POSITIFS

INSTRUCTIONS : Voici une liste de questions portant sur divers sentiments entre des gens mariés ou fiancés. En utilisant l'échelle de pointage ci-dessous, répondez à chacune d'elles en tenant compte *en général* de votre sentiment à l'égard de votre conjoint ou de votre conjointe par rapport aux mois qui viennent de s'écouler. Votre marque devrait refléter ce que vous ressentez *en fait,* et non pas ce que vous devriez ressentir ou ce que vous aimeriez ressentir.

    1 = Extrêmement négatif.
    2 = Assez négatif.
    3 = Un peu négatif.
    4 = Neutre.
    5 = Un peu positif.
    6 = Assez positif.
    7 = Extrêmement positif.

☐ 1. Comment percevez-vous votre partenaire en tant qu'ami?

☐ 2. Comment percevez-vous l'avenir de votre relation maritale?

☐ 3. Comment percevez-vous le fait d'épouser ou d'avoir épousé votre conjoint?

☐ 4. Comment percevez-vous l'aptitude de votre partenaire à vous rasséréner afin que vous puissiez rire et sourire?

☐ 5. Que pensez-vous de l'aptitude de votre partenaire à supporter le stress?

☐ 6. Que pensez-vous de la capacité de votre partenaire à vous comprendre?

☐ 7. Que pensez-vous du degré de confiance que vous pouvez mettre en votre partenaire?

☐ 8. Que pensez-vous de la façon dont votre partenaire établit des rapports avec les autres?

Les items suivants se présentent sous la forme d'énoncés plutôt que de questions. Répondez toutefois de la même manière tout en fondant vos réponses sur ce que vous pensez *généralement* de votre partenaire par rapport aux mois qui viennent de s'écouler.

☐ 1. Toucher mon partenaire me fait sentir _____.

☐ 2. Me retrouver seul(e) avec mon parternaire me fait sentir_____.

☐ 3. Avoir des relations sexuelles avec mon partenaire me fait sentir _____.

☐   4.   Parler et communiquer avec mon partenaire me fait sentir _____.

☐   5.   L'encouragement de mon partenaire par rapport à mon épanouissement personnel me fait sentir _____.

☐   6.   L'aspect physique de mon partenaire me fait sentir _____.

☐   7.   Rechercher le réconfort de mon partenaire me fait sentir _____.

☐   8.   Embrasser mon partenaire me fait sentir _____.

☐   9.   Être assis ou couché aux côtés de mon partenaire me fait sentir _____.

Source : K. Daniel O'Leary et Francis Fincham, « Assessment of Positive Feelings Toward Spouse », *Journal of Consulting and Clinical Psychology*, vol. 51, 1983, p. 949-951. Publié avec l'autorisation du détenteur des droits.

Comment marquer les points

Pour déterminer votre résultat, vous n'avez qu'à additionner les chiffres correspondant à vos réponses pour chacun des items.

Comment vous comparez-vous à d'autres ?

Résultat		Pourcentage
Hommes	*Femmes*	
88	94	15
94	99	30
101	104	50
107	109	70
113	114	85

À propos des sentiments positifs

Vous avez sans doute une bonne opinion de vos sentiments à l'égard de votre partenaire, mais le questionnaire des sentiments positifs vous donnera une idée de vos sentiments par comparaison à ceux des autres. Le D^r O'Leary et ses collègues de la State University of New York à Stonybrook ont conçu ce test pour mesurer le changement des sentiments des hommes et des femmes à l'égard de leur partenaire dans le cours d'une thérapie de couple. L'échelle fut efficace au sens où les résultats des couples progressant dans la thérapie tendaient à être plus élevés, mais ils constatèrent également que l'échelle arrivait à mesurer la satisfaction générale des couples avec la même efficacité que des tests bien connus du commerce. Comme on pouvait s'y attendre, la marque des couples en quête d'une thérapie conjugale était beaucoup plus faible.

On note avec intérêt la disparité des notes entre hommes et femmes dans ce test. Ainsi, la note moyenne des femmes est légèrement supérieure à celle des hommes. Mais pour les couples en quête d'une thérapie, la note moyenne des femmes était d'un bon 10 points sous celle des hommes entrant en thérapie. Il semble qu'en général les femmes témoignent d'un sentiment plus positif envers leur conjoint que les hommes, mais chez les couples malheureux, les femmes entretiennent des sentiments beaucoup plus négatifs que leurs époux. Cette constatation rejoint celle d'autres études faisant ressortir que les femmes désirant le divorce formulent trois fois plus de récriminations que leurs maris.

Les hommes et les femmes ont des réactions différentes par rapport aux relations durables. C'est presque un cliché de dire que les femmes se préoccupent davantage des relations que les hommes, mais c'est un cliché qui contient une bonne dose de vérité. Dans mon expérience de conseiller en relation de couple, je constate que l'initiative de consulter un professionnel revient presque toujours à la femme. Lors de la première session, quand je demande ce qui incite les conjoints à entreprendre cette démarche, le mari se tourne presque invariablement vers sa femme pour lui demander de formuler ses plaintes. En général, les hommes vont se défendre plus souvent qu'ils vont se plaindre de leurs femmes.

Les femmes semblent simplement se préoccuper davantage de leurs relations, et quand les choses ne tournent pas rond, elles veulent trouver une solution. Par contre, les hommes trouvent habituellement que tout va bien aussi longtemps que leur conjointe ne se plaint pas trop. Nombre de fois, un couple se présente en thérapie et le mari dit quelque chose comme ceci: «La semaine s'est très bien déroulée. Nous n'avons eu aucune prise de bec.» Puis la femme fond en larmes et réplique: «C'est parce qu'on s'est à peine parlé. » C'est à la fois tragique et comique que les hommes et les femmes puissent avoir des perceptions aussi différentes de leur union.

Or que faire pour acquérir un sentiment plus positif à l'égard de votre compagnon ou de votre compagne ? Des centaines de livres ont été écrits sur la manière de vivre une vie de couple plus heureuse et gratifiante. Et j'imagine que ces bouquins fournissent des conseils éclairés. Mais s'il y a tellement d'auteurs traitant du sujet et tellement de conseils de donnés, c'est probablement qu'il est très difficile de remettre un mariage à flot. Même les couples qui dépensent temps, efforts et argent pour s'offrir une thérapie en vue de sauver leur union ont moins de 50 % des chances de réussir. De fait, sauver une union en perdition est très difficile.

C'est là une situation où le proverbe « vaut mieux prévenir que guérir » s'applique particulièrement. Il est beaucoup plus facile d'acquérir de bonnes habitudes au début de la relation, ce qui augmentera d'autant ses chances de réussite, plutôt que de lancer des accusations ensuite sous le coup de la colère et du ressentiment. Une bonne habitude que tout couple devrait acquérir est d'entretenir des rapports aimables fréquents et réguliers. Des études récentes prouvent que des couples qui entretiennent cinq fois plus d'interactions agréables que désagréables ont toutes les chances d'avoir un mariage heureux. Si le pourcentage d'interaction désagréable s'élève à plus de 20 %, la relation risque d'être perçue comme pénible par le couple.

Les interactions agréables qui sont particulièrement importantes viennent de moments quotidiens que l'homme et la femme peuvent partager. Un exemple d'interaction agréable serait de parler à votre compagne ou compagnon d'un article de journal divertissant ; ou encore de faire une marche autour du pâté de maison après dîner ; mais aussi de partager une expérience de travail ou bien de se faire des câlins en regardant la télé. Autrement dit, il n'est pas nécessaire d'organiser une fin de semaine exotique (et coûteuse) dans un lieu lointain pour bien entretenir une relation. Il est toutefois nécessaire d'avoir cinq interactions agréables pour contrebalancer une discussion enflammée sur le manque d'argent à la fin du mois ou sur le manque de discipline des enfants, ou toute autre difficulté faisant partie intégrante de toute relation. Trop de couples ne discutent qu'au moment où surgit une difficulté.

Si votre note se situe dans les 50 % ou plus, il y a des chances pour que votre relation se déroule bien. Continuez simplement sur votre lancée. Si vous avez obtenu moins de 50 %, vous pourriez peut-être augmenter le nombre d'interactions agréables. Ne soyez pas trop ambitieux. J'ai vu des couples tenter de refaire entièrement leur union et abandonner quand les conjoints se sont aperçus que c'était trop difficile. Commencez lentement. Racontez à votre compagne ou compagnon une blague entendue au travail ; diteslui qu'il est particulièrement attrayant ou qu'elle est particulièrement séduisante aujourd'hui, ou tendez le bras et serrez-lui la main alors que vous êtes à table après dîner. Des sentiments positifs émergent presque toujours à la suite d'interactions agréables.

CINQUIÈME PARTIE

VIVRE SA SEXUALITÉ

Nous sommes enfin arrivés à ce sujet délicat entre tous : votre sexualité. En complétant cette section, vous découvrirez :

- Vos connaissances sur le sexe.
- Comment vos comportements sexuels se comparent aux autres.
- Vos craintes par rapport à votre sexualité.
- Votre sensualité.
- Votre degré de satisfaction de la relation.

QUE CONNAISSEZ-VOUS DU SEXE?

LE TEST DES CONNAISSANCES SEXUELLES

INSTRUCTIONS: Pour les items qui suivent, choisissez la bonne réponse parmi celles qui sont proposées.

1. En Amérique du Nord, la principale cause de malformations à la naissance est:
   a. l'usage de la cigarette par les mères;
   b. la dépendance des mères à la cocaïne;
   c. l'abus d'alcool par les mères;
   d. l'activité sexuelle aux derniers stades de la grossesse.

2. Laquelle, parmi les méthodes de contrôle des naissances, est sans doute *la moins* sécuritaire pour les femmes:
   a. le diaphragme;
   b. le condom;
   c. le DIU[1];
   d. la cape cervicale.

---

1. Dispositif intra-utérin. (N.d.T.)

3. Les femmes qui se sentent coupables à propos du sexe vont probablement:
   a. faire usage de contraceptifs d'une façon très efficace;
   b. ignorer les préférences de leur partenaire concernant la contraception;
   c. faire usage de contraceptifs nécessitant une consultation médicale;
   d. prendre la moins bonne décision au sujet de la contraception.

4. Des moyens contraceptifs suivants, celui qui possède le plus faible taux d'échec est:
   a. la cape cervicale;
   b. l'éponge;
   c. le retrait;
   d. le contraceptif oral.

5. Sur une période d'un an, les couples qui ont des relations sexuelles en n'utilisant aucun contraceptif ont une probabilité de grossesse d'environ:
   a. 15%;
   b. 40%;
   c. 65%;
   d. 90%.

6. Quelle proportion des garçons et filles auront probablement eu une relation sexuelle avant 19 ans?
   a. $^1/_3$;
   b. $^1/_2$;
   c. $^2/_3$;
   d. $^9/_{10}$.

7. Quel pourcentage des Nord-Américains se marieront à la fin de la trentaine?
   a. 75;
   b. 85;
   c. 90;
   d. 95.

8. Au début des années 1990, environ _____ pour cent des foyers québécois se composaient d'adultes mono-parentaux.
   a. 5;
   b. 10;
   c. 15;
   d. 35.

9. Une importante différence entre le clitoris et le pénis est que le clitoris:
   a. possède relativement moins d'extrémités nerveuses que le pénis;
   b. n'a pas d'autre fonction que le plaisir sexuel;
   c. ne possède aucun tissu comparable à celui qui se trouve à l'extrémité du pénis;
   d. est incapable d'érection.

10. Chez les femmes, les hormones agissent directement sauf dans les mécanismes suivants:
    a. le maintien de la grossesse;
    b. la régulation du cycle menstruel;
    c. le désir sexuel;
    d. la capacité à atteindre l'orgasme.

11. Quand Marie atteint l'orgasme, elle constate qu'un liquide clair sort de son vagin. Marie:
    a. pourrait souffrir de vaginisme et devrait consulter un médecin;
    b. pourrait souffrir d'une infection du système urinaire et devrait consulter un médecin;
    c. a un suintement vaginal normal se produisant chez toutes les femmes lors d'une excitation sexuelle;
    d. éprouve un phénomène qui affecte entre 10 et 40 pour cent des femmes.

12. La période réfractaire, nommément l'intervalle de temps suivant l'orgasme où l'homme devra attendre avant l'orgasme suivant, dépend de:
    a. son attirance pour sa partenaire;
    b. l'intensité de son premier orgasme;
    c. son niveau de culpabilité par rapport aux questions sexuelles;
    d. son âge.

13. Pour la plupart des hommes:
    a. le sentiment amoureux diminue après plusieurs relations sexuelles avec une partenaire;
    b. le sentiment amoureux et le sentiment de satisfaction sexuelle sont presque complètement indépendants;
    c. le sentiment amoureux augmente la qualité des relations sexuelles;
    d. le sexe dénué de sentiment amoureux n'est pas particulièrement agréable.

14. Quel énoncé suivant à propos de la masturbation n'est PAS vrai ?
    a. les hommes et les femmes pratiquent autant l'un que l'autre la masturbation ;
    b. la masturbation se pratique tout au long de la vie ;
    c. plusieurs personnes se masturbent même si elles ont un partenaire sexuel ;
    d. les adolescents sont plus portés à parler de masturbation que les adolescentes.

15. Pour la plupart des femmes, quelle est la position la plus facile pour avoir un orgasme ?
    a. l'homme au-dessus ;
    b. la femme au-dessus ;
    c. la pénétration anale ;
    d. côte à côte.

16. Les divers contraceptifs oraux agissent d'une façon légèrement différente les uns des autres, mais tous ils :
    a. induisent un état artificiel de « grossesse » du corps ;
    b. forment une barrière entre l'ovule et le sperme ;
    c. empêchent l'entrée du sperme dans l'utérus ;
    d. tuent et affaiblissent le sperme.

17. Pour maximiser les chances de conception, les relations sexuelles devraient avoir lieu :
    a. de six à dix jours après le premier jour du cycle menstruel ;
    b. quatre jours avant et un jour après l'ovulation ;
    c. de un à cinq jours avant les menstruations ;
    d. trois jours avant et deux jours après les menstruations.

18. La cause la plus fréquente d'infertilité chez les femmes est :
    a. l'abus des drogues dans le passé ;
    b. des avortements dans le passé ;
    c. des toxines dans l'environnement ;
    d. un blocage des trompes de Fallope.

19. Lequel des éléments suivants n'est PAS un signe de ménopause ?
    a. l'hyperactivité ;
    b. une bouffée de chaleur ;
    c. la sécheresse vaginale ;
    d. l'insomnie.

20. Le problème sexuel le plus courant dont témoignent les hommes désirant suivre une thérapie est :
    a. l'éjaculation précoce ;
    b. un problème d'érection ;
    c. l'incapacité à éjaculer ;
    d. un faible désir sexuel.

21. Lequel des facteurs suivants ne s'est PAS avéré à la source des problèmes d'érection chez les hommes ?
    a. l'arthrite ;
    b. les problèmes de disques lombaires ;
    c. le diabète ;
    d. l'abus d'alcool.

22. Le type de thérapie qui s'est avéré le plus efficace dans le traitement des problèmes sexuels d'éjaculation précoce, de vaginisme et de frigidité est le type :
    a. cognitif-behaviorial ;
    b. psychodynamique ;
    c. centré sur le client ;
    d. pharmacologique.

23. Combien d'Américains sont atteints d'une MTS chaque année?
   a. de un à deux millions;
   b. de trois à cinq millions;
   c. de six à huit millions;
   d. de douze à treize millions.

24. La MTS la plus courante aux États-Unis est:
   a. la chlamydia;
   b. le sida;
   c. la gonorrhée;
   d. la syphilis.

25. Des recherches ont prouvé que les gens qui lisent des textes ou regardent des scènes sexuellement explicites sont portés à:
   a. distinguer difficilement entre le fantasme sexuel et la réalité;
   b. voir augmenter temporairement leurs activités sexuelles courantes;
   c. s'engager dans des pratiques sexuelles anormales ou coercitives;
   d. dévaloriser leur partenaire sexuel régulier.

26. Les chercheurs modernes concluent que la cause de l'homosexualité chez l'homme est:
   a. associée à des expériences pathologiques dans l'enfance;
   b. liée à un facteur génétique;
   c. liée à des problèmes hormonaux au cours du développement fœtal;
   d. inconnue jusqu'à présent.

27. Chez les hommes, la production de testostérone :
   a. diminue graduellement à partir d'environ 40 ans ;
   b. diminue soudainement vers 55 ans ;
   c. se maintient à un niveau relativement constant tout au long de la vie ;
   d. varie tellement d'un homme à un autre qu'on ne peut faire aucune généralisation.

28. Concernant l'observation que les hommes s'intéressent davantage au sexe que les femmes, les spécialistes :
   a. s'accordent à dire qu'une telle différence n'existe pas en fait, les hommes étant simplement plus naturellement enclins à admettre leur intérêt sexuel ;
   b. s'accordent à dire que la différence provient de l'influence sociale ; alors que les garçons sont encouragés à manifester leur intérêt pour le sexe, les filles, elles, en sont découragées ;
   c. s'accordent sur ce que cette différence a un fondement biologique ;
   d. divergent d'opinion sur la cause biologique ou sociale du phénomène.

29. À mesure que les hommes se rapprochent de l'âge moyen :
   a. l'urgence de leur pulsion sexuelle diminue ;
   b. ils ont besoin de plus de stimulation physique pour atteindre une érection ;
   c. après l'orgasme, ils doivent attendre plus longtemps avant d'en avoir un autre ;
   d. ils sont exposés à tous les phénomènes précédents.

30. Le meilleur indice du comportement sexuel que la femme aura après la ménopause est:
    a. son degré de réduction d'estrogène;
    b. l'importance des symptômes s'étant manifestés lors de la ménopause;
    c. son attitude par rapport au sexe;
    d. l'attitude de son partenaire par rapport à la ménopause.

31. Un homme qui subit une grande excitation quand sa partenaire enfile sa tenue de meneuse de claque pour faire l'amour:
    a. souffre d'un trouble psychiatrique;
    b. est un abuseur d'enfants potentiel;
    c. aime humilier ses partenaires sexuelles;
    d. se comporte normalement au point de vue sexuel.

32. Les études sur la bisexualité ont révélé que:
    a. la bisexualité véritable est pratiquement inexistante;
    b. pour certaines personnes à tout le moins, l'orientation sexuelle pourrait ne pas être aussi homogène qu'on veut bien le croire;
    c. la plupart des gens qui se qualifient de bisexuels sont en fait homosexuels, mais ont de la difficulté à l'accepter;
    d. les bisexuels ont deux fois plus de chance de sortir avec quelqu'un le samedi soir.

Source: Louis H. Janda, «The Sexual Knowledge Test», manuscrit, Old Dominion University, 1994.

Comment marquer les points

Accordez-vous un point pour chaque bonne réponse. Les réponses apparaissent ci-dessous.

1. c	12. d	23. d
2. c	13. c	24. a
3. d	14. a	25. b
4. d	15. b	26. d
5. d	16. a	27. a
6. c	17. b	28. d
7. c	18. d	29. d
8. c	19. a	30. c
9. b	20. d	31. d
10. d	21. a	32. b
11. d	22. a	

Comment vous comparez-vous à d'autres ?

Résultat	Pourcentage
13	15
16	30
19	50
22	70
25	85

À propos de la connaissance de la sexualité

Le sexe est indissociable de la vie. Il est inutile de vouloir l'étudier. Le moment venu, vous savez quoi faire, pas vrai ?

Si vous êtes instruit et assez curieux pour lire ce livre, je suis convaincu que vous n'allez pas être d'accord avec l'énoncé ci-dessus. Je suis toutefois étonné du nombre de personnes croyant qu'il est inutile de vouloir s'instruire sur le sexe.

S'alimenter est aussi indissociable de la vie, mais presque tout le monde convient que nous pouvons mener des vies plus saines, plus gratifiantes et plus longues si nous prenons conscience de la valeur de la nourriture. Il en est ainsi du sexe. Bien se renseigner sur la sexualité peut vouloir dire une meilleure santé et un plus grand bien-être, et à l'époque du sida, cette connaissance peut mettre en cause la vie même.

Je voudrais dire quelques mots sur ce test particulier. Il en existe des semblables publiés par des sexologues, mais un chercheur ne m'a pas autorisé à publier le sien, et les autres que je pressentais renfermaient trop de questions à mon avis hors de propos. De sorte que j'ai conçu mon propre test. J'ai commencé avec une grande quantité d'items reflétant d'après moi les renseignements que la plupart des gens trouvent utiles dans leur vie quotidienne, et j'ai fait appel aux étudiants de mon cours de psychologie de la sexualité à l'Université Old Dominion pour générer les données statistiques nécessaires à l'élaboration d'un test. Je vous fais grâce des détails, mais le test est à la fois fiable et valable. Les résultats des étudiants dans ce test étaient intimement liés aux résultats finaux du cours. Comme les normes sont fondées sur des étudiants en train de terminer un cours en sexualité humaine, votre marque pourra sembler faible par rapport à ces normes. Mais si vous obtenez 50 % et plus, vous pouvez vous féliciter. Vous avez de très bonnes connaissances sur la sexualité.

Une raison pour laquelle il est important de connaître la sexualité est que notre comportement sexuel est intimement lié à notre psychologie. Les croyances et les attitudes peuvent influer à la fois sur le comportement et la réaction du corps. Les chercheurs bien connus Masters et Johnson en ont donné un exemple classique il y a presque vingt-cinq ans. Ils ont constaté qu'une cause courante de problèmes érectiles chez les hommes était liée à l'alcool. Masters et Johnson décrivent un cas polyvalent où un homme d'âge moyen qui a un peu trop bu décide qu'il veut faire l'amour. À sa surprise, rien ne se produit, mais il attribue son impuissance momentanée aux effets de l'âge plutôt qu'à l'alcool. L'homme, craignant que son échec ne soit dû au fait que les jeux de l'amour ne conviennent plus à un homme de son âge, voit cette crainte empêcher toute érection lors des relations subséquentes. Si cet homme avait mieux connu la sexualité, il se serait sans doute dit: «Eh bien, j'en ai pris un peu trop ce soir, mais attention à demain. Je vais être en pleine forme.» Il y a d'innombrables autres exemples relatés par les sexologues où l'ignorance a suscité un problème là où il n'y en a pas.

Une deuxième raison prêchant en faveur de la connaissance est qu'elle incite à des comportements plus responsables. Cet aspect touche au cœur de la controverse sur l'enseignement de la sexualité à l'école, mais tout indique qu'un programme bien conçu d'éducation sexuelle à l'école permet de réduire le taux de MTS et de grossesses chez les adolescentes. Et contrairement aux craintes des parents opposés à l'enseignement de la sexualité, de tels programmes n'incitent pas à des expériences sexuelles précoces ou à la promiscuité.

Mon but pour ce test était d'élaborer des items rendant compte de la réalité. Mais sous plusieurs aspects, les spécialistes ne s'entendent pas sur ce qu'est la réalité. Ce n'est qu'il y a un siècle que les médecins ont décrit les maux pouvant découler d'un excès de masturbation. Et la première vague de «manuels de préparation au mariage» publiés au début du siècle mettaient en garde les maris de ne pas s'*imposer* à leurs femmes trop souvent parce que cela pouvait leur causer des maux physiques. Mieux vaut se méfier quand n'importe quel spécialiste — sauf moi, bien sûr — essaie de vous décrire les «faits».

À ce chapitre, laissez-moi décrire brièvement quelques items que pourraient rejeter d'autres spécialistes en raison des choix que je privilégie. L'item numéro 11 traite de Marie, qui observe qu'un liquide clair sort de son vagin quand elle a un orgasme. Vous savez sans doute que des spécialistes affirment que les femmes éjaculent pendant l'orgasme. Ils disent avoir identifié des structures anatomiques associées à l'éjaculation féminine, connues sous le nom de point G, et démontré que le liquide éjaculé n'est pas de l'urine. D'autres chercheurs par contre affirment qu'ils ne peuvent trouver le point G et que le liquide est en fait de l'urine. Bien que je sois sceptique à propos de l'éjaculation féminine, il s'est avéré que plusieurs femmes connaissent un phénomène identique à celui de Marie, et cela ne devrait pas être considéré comme anormal. L'item 20 fait l'objet d'un débat animé parmi les spécialistes, à savoir pourquoi le désir sexuel déficient est-il devenu si courant parmi les hommes? Fait intéressant, d'après certains chercheurs en sciences sociales, ce sont les sexologues eux-mêmes qui seraient responsables du grand nombre de gens qui désirent entreprendre une thérapie suite à une déficience du désir sexuel. Au moment où Masters et Johnson publiaient leur livre *Human Sexual Inadequacy* en 1970 (William H. Masters, Virginia E. Johnson, *Les mésententes sexuelles et leur traitement*, Paris, Laffont, 1971), l'éjaculation précoce était considérée comme le problème sexuel le plus répandu parmi les hommes. Or tandis que les spécialistes et les vulgarisateurs inspirés par eux se mettaient à répandre le message qu'il était possible d'atteindre l'extase sexuelle avec un entraînement adéquat, plusieurs commencèrent à douter de leurs capacités. Il y a trente ans, un homme de 50 ans dont l'intérêt sexuel s'émoussait se disait simplement qu'ainsi va la vie, et l'homme tout autant que la femme acceptait ce verdict. De nos jours où les magazines féminins sont truffés d'articles sur la manière d'accroître son rendement sexuel, on ne devrait pas se surprendre de voir un si grand nombre d'hommes d'âge moyen en conclure qu'ils doivent souffrir d'un problème s'ils n'ont pas le même désir sexuel qu'à l'âge de 20 ans.

L'item 25 s'interroge sur la cause de l'homosexualité chez les hommes. Quand j'ai commencé à enseigner la psychologie de la sexualité à la fin des années 1970, j'ai dit à mes étudiants qu'aucune évidence ne prouvait que l'homosexualité était biologique, et que la plupart des spécialistes s'accordaient pour affirmer que cela résultait d'expériences dans l'enfance. Les choses ont bien changé depuis, et j'enseigne maintenant à mes étudiants qu'il existe plusieurs études qui tendent à prouver qu'il y a un fondement biologique à l'homosexualité. Mais il reste que nous ne possédons pas d'études concluantes sur la question. Je crois personnellement que tant les expériences de vie que la biologie contribuent à l'orientation sexuelle, mais les études des 20 prochaines années prouveront peut-être que je me trompe. Nous ignorons simplement la réponse. Tout spécialiste qui affirme le contraire est soit un charlatan soit un menteur.

La question de l'homosexualité est intéressante, car elle démontre que les « faits » sur la sexualité peuvent se transformer. Parfois, les spécialistes sont tout simplement dans l'erreur, comme ils l'étaient en alléguant que la masturbation peut déclencher diverses maladies. Parfois aussi, les spécialistes peuvent offrir la meilleure réponse, comme je le faisais à mes étudiants il y a quinze ans, compte tenu de l'évidence des faits. Mais les techniques de recherche qui s'affinent font que l'évidence change, comme cela s'est produit pour l'homosexualité. La morale de l'histoire, c'est qu'il faut être particulièrement bien informé sur la sexualité humaine afin de pouvoir évaluer les dernières prétentions des experts. Car nous n'avons pas toujours la bonne réponse.

QUE PENSEZ-VOUS DU SEXE ?

L'ÉCHELLE DES ATTITUDES SEXUELLES

INSTRUCTIONS : Divers énoncés apparaissant ci-après reflètent différentes attitudes à propos de la sexualité. Accolez à chacun un chiffre correspondant à l'intensité de votre accord ou de votre désaccord. Certains des items réfèrent à un genre spécifique de relation sexuelle tandis que d'autres font référence à des attitudes générales et à des croyances sur la sexualité. Partout où c'est possible, répondez en tenant compte de votre partenaire actuel(le). Si vous n'êtes pas engagé présentement dans une relation, répondez en tenant compte de votre plus récent(e) partenaire. Si vous n'avez jamais eu de relations sexuelles, répondez d'après ce que vous en savez. Voici le pointage correspondant à votre réponse.

1. Je suis profondément en désaccord avec l'énoncé.
2. Je suis modérément en désaccord avec l'énoncé.
3. J'ai une opinion mitigée, ni en accord ni en désaccord.
4. Je suis modérément en accord avec l'énoncé.
5. Je suis profondément en accord avec l'énoncé.

☐ 1. Je n'ai pas besoin d'être engagé envers une personne pour avoir une relation sexuelle avec elle.

☐ 2. C'est très bien de faire l'amour à l'occasion.

☐ 3. Je voudrais m'engager dans des relations sexuelles avec plusieurs partenaires.

☐ 4. Il est parfois très agréable de s'engager dans des liaisons sans lendemain.

☐ 5. C'est très bien d'avoir des relations sexuelles suivies avec plus d'un partenaire à la fois.

☐ 6. Il est acceptable d'inciter quelqu'un à faire l'amour en autant qu'on ne fait aucune promesse.

☐ 7. Si les deux partenaires acceptent, il n'y a aucun mal à faire l'amour sur une simple base d'échange.

☐ 8. Le meilleur sexe, c'est quand il n'y a aucun engagement.

☐ 9. La vie serait moins difficile si les gens pouvaient faire l'amour plus librement.

☐ 10. Il est possible d'aimer faire l'amour avec une personne et de ne pas aimer beaucoup cette personne.

☐ 11. Il est plus agréable de faire l'amour avec quelqu'un que vous n'aimez pas.

☐ 12. C'est très bien de forcer quelqu'un à faire l'amour.

☐ 13. C'est très bien de faire des expériences sexuelles avant le mariage.

☐ 14. C'est très bien d'avoir des aventures extraconjugales dans la mesure où le partenaire n'en sait rien.

☐ 15. Faire l'amour pour le plaisir de faire l'amour est parfaitement correct.

☐ 16. Je me sentirais à l'aise de faire l'amour avec mon / ma partenaire en présence d'autres gens.

☐ 17. La prostitution est admissible.

☐ 18. Le sexe n'est qu'un bon soulagement physique.

☐ 19. Le sexe sans amour est dénué de sens.

☐ 20. Les gens devraient au moins se lier d'amitié avant de faire l'amour.

☐ 21. Pour que le sexe soit agréable, il faut qu'il ait un sens.

☐ 22. La contraception est indissociable d'une sexualité responsable.

☐ 23. La femme doit partager la responsabilité de la contraception.

☐ 24. L'homme doit partager la responsabilité de la contraception.

☐ 25. L'éducation sexuelle est importante pour les jeunes gens.

☐ 26. C'est bien d'utiliser des « jouets sexuels » en faisant l'amour.

☐ 27. La masturbation est acceptable.

☐ 28. Masturber son partenaire en faisant l'amour peut augmenter le plaisir du sexe.

☐ 29. Le sexe s'améliore à mesure que la relation progresse.

☐ 30. Le sexe est la forme de communication la plus intime entre deux personnes.

☐ 31. L'union sexuelle entre deux personnes follement amoureuses l'une de l'autre constitue l'ultime interaction humaine.

☐ 32. L'orgasme est la plus merveilleuse expérience au monde.

☐ 33. À son meilleur, la sexualité s'apparente à l'union de deux âmes.

☐ 34. Le sexe constitue une part très importante de la vie.

☐ 35. Le sexe est une expérience normalement intense, voire fulgurante.

☐ 36. Pendant l'acte sexuel, la conscience intense du / de la partenaire constitue le meilleur état d'esprit.

☐ 37. Le sexe est foncièrement bon.

☐ 38. Le sexe est à son meilleur quand vous vous laissez aller et que vous vous laissez porter par votre propre plaisir.

☐ 39. Le sexe consiste principalement à prendre son plaisir d'une autre personne.

☐ 40. Le but principal du sexe est de prendre son propre plaisir.

☐ 41. Le sexe est foncièrement physique.

☐ 42. Le sexe est foncièrement une fonction physique, comme manger.

☐ 43. Le sexe est principalement un jeu entre l'homme et la femme.

Source : Susan Hendrick et Clyde Hendrick, « Multidimensionality of Sexual Attitudes », *The Journal of Sex Research*, 1987, p. 502-526. Publié avec l'autorisation du détenteur des droits.

Comment marquer les points
de l'Échelle des attitudes sexuelles

Grâce à cette recherche, les Hendricks concluent qu'il existe quatre dimensions premières d'attitudes sexuelles. Ainsi, vous devrez calculer les points de quatre sous-échelles. Pour chacune d'elles, additionnez la note de tous les items. La première dimension est la *permissivité*, qui compte les items 1 à 21 (les numéros 19, 20 et 21 sont comptés inversement, c'est-à-dire qu'il faut soustraire votre réponse de 6). Les items 22 à 28 sont associés à l'échelle des *pratiques sexuelles*, les items 29 à 37 sont associés à l'échelle de la *communion* tandis que les items 38 à 43 sont liés à l'échelle du *facteur instrumental*. Comme pour toutes les échelles, les normes sont fondées sur des étudiants universitaires qui ont tendance à avoir des comportements sexuels plus libres que la population normale.

Comment vous comparez-vous à d'autres?

	Résultat		Pourcentage
	Hommes	*Femmes*	
Permissivité	34	21	15
	47	25	30
	60	38	50
	73	51	70
	86	64	85
Pratiques sexuelles	18	18	15
	22	22	30
	28	28	50
	32	32	70
	35	35	85

Communion	26	26	15
	31	31	30
	36	36	50
	41	41	70
	45	45	85
Facteur instrumental	9	6	15
	13	10	30
	17	14	50
	21	18	70
	24	22	85

À propos des attitudes sexuelles

Il y a des centaines de mesures des attitudes sexuelles qui portent sur des douzaines de dimensions différentes, mais les psychologues et conjoints Clyde et Susan Rendrick croient qu'il serait utile pour les chercheurs en sexualité humaine d'avoir une seule échelle à large éventail permettant de mesurer d'un seul coup plusieurs variables des attitudes sexuelles. Pour ce faire, ils ont conçu leur Échelle des attitudes sexuelles en se servant d'une technique statistique appelée analyse factorielle. Ils ont conclu que les attitudes sexuelles comportent quatre éléments essentiels, qu'ils appellent la permissivité, les pratiques sexuelles, la communion et le facteur instrumental.

L'élément permissivité n'a pas besoin d'explication. Plus votre note est forte, plus vos attitudes sexuelles sont permissives et libérales. Par rapport aux gens qui obtiennent des résultats médiocres, ceux qui obtiennent des notes élevées sont portés à avoir eu plus de rapports sexuels, des pratiques sexuelles plus variées, et croient que l'amour n'est pas nécessairement une condition préalable à des relations sexuelles. Ces gens partagent beaucoup de caractéristiques avec les « chercheurs de sensations » de la deuxième partie du livre. Ils ont une propension à l'ennui et sont constamment en quête de nouvelles expériences sexuelles et d'expériences connexes. Fait intéressant, les gens qui témoignent d'une permissivité sexuelle élevée ont tendance à avoir une estime d'eux-mêmes un peu plus élevée que les personnes conservatrices sur le plan sexuel.

Le facteur des pratiques sexuelles reflète ce que les Hendricks appellent la sexualité responsable et tolérante. Un résultat élevé pour cet élément caractérise des gens qui acceptent leur sexualité, accordent de la valeur à cet aspect de leur vie, et croient à l'importance de comportements sexuels responsables. Ces gens ressemblent aux personnes très permissives en ce qu'elles aiment entreprendre de nouvelles expériences sexuelles, mais contrairement à ces dernières, elles pensent qu'il est important de se conformer aux normes sociales quand on s'engage dans de nouvelles pratiques. Une autre différence notable entre les résultats de l'échelle des pratiques sexuelles et de la permissivité est que ceux qui obtiennent un pointage élevé dans la première sont portés à avoir une interaction verbale plus intime avec leurs partenaires. Ces gens donnent une grande valeur à la communication entre partenaires.

Les gens qui obtiennent un résultat élevé sur l'échelle de la communion sont portés à avoir une approche émotive et idéaliste de la sexualité. Comme les items s'y rapportant le suggèrent, les personnes dont les notes sont les plus fortes ici ont tendance à croire que les éléments spirituels de l'acte sexuel ont une plus grande importance que l'élément physique. Ils apprécient le plaisir qu'ils retirent de la relation, mais le perçoivent comme un moyen de se rapprocher de leur partenaire et de raffermir le lien qui les unit. Ces personnes trouvent difficile d'imaginer même la possibilité de faire l'amour avec quelqu'un qu'ils n'aiment pas profondément. Votre résultat sur cette échelle dépend en partie de votre situation actuelle au plan affectif. Dans leurs enquêtes, les Hendricks ont constaté que ceux qui ont répondu *oui* à la question : « Êtes-vous en amour présentement ? » ont plus de chances d'avoir un pointage élevé au chapitre de la communion que ceux qui ont répondu négativement. Fait notable, les gens ayant répondu avoir été amoureux « plusieurs fois » avaient une note élevée en permissivité par rapport à ceux qui avaient une expérience plus limitée. Il semblerait donc que le fait d'être amoureux rend idéaliste sur le plan sexuel, mais que cet idéalisme risque de s'éroder par un trop grand nombre d'expériences.

Finalement, le facteur instrumental reflète une vision relativement égoïste, égocentrique de la relation sexuelle. Les champions de cette échelle sont portés à être des « joueurs ». Ils ne voient rien de répréhensible à tromper et manipuler des partenaires éventuels si cela peut les mener à leur but. Ces gens ressemblent beaucoup aux personnes très permissives, mais sont portés à avoir une approche plus cynique des relations sexuelles. On ne doit donc pas se surprendre que ces individus ne cherchent guère à développer des relations affectives intimes avec leurs partenaires.

Comme vous le constatez d'après les normes, les hommes et les femmes ont des attitudes différentes par rapport à la sexualité ; les hommes sont plus forts sur la permissivité et le facteur instrumental. Comme tout bon psychologue doit faire dans un article publié dans une revue scientifique, les Hendricks expliquent ces différences dans un jargon technique, mais je ne pense pas trop simplifier en disant que leur recherche illustre la vieille formule voulant que les hommes donnent de l'amour pour avoir du sexe alors que les femmes donnent du sexe pour avoir de l'amour.

Comme toujours, votre partenaire et vous-même serez plus satisfaits si vos résultats concordent dans les quatre dimensions. Dans la plupart des relations, l'homme obtiendra en général un résultat plus élevé dans la permissivité et le facteur instrumental. Vous ne devrez donc pas vous inquiéter si le résultat de votre partenaire est assez différent du vôtre. Par contre, si votre note la plus élevée est dans la communion et que celle de votre partenaire se situe dans le facteur instrumental, vous devrez dialoguer beaucoup pour harmoniser votre relation.

VOTRE SEXUALITÉ
VOUS REND-ELLE ANXIEUX ?

L'INVENTAIRE DE L'ANXIÉTÉ SEXUELLE

INSTRUCTIONS : Chacune des propositions ci-après se termine par deux possibilités : a ou b. Choisissez la subordonnée qui décrit le mieux vos sentiments. Il se pourrait qu'aucune des deux ne corresponde exactement à ce que vous ressentez. Si c'est le cas, prenez celle qui correspond le mieux à vos sentiments.

1. Le sexe hors du mariage
   a. est acceptable si tout le monde est d'accord ;
   b. peut briser des familles.
2. Le sexe
   a. peut causer autant d'anxiété que de plaisir ;
   b. est en général bon et plaisant.
3. La masturbation
   a. me cause du souci ;
   b. peut être un substitut utile.
4. Après avoir eu des idées sur le sexe
   a. je me sens excité ;
   b. je me sens nerveux.

5. Quand je prodigue des caresses
   a. j'ai peur au début;
   b. j'aime beaucoup ça.

6. Amorcer des relations sexuelles
   a. est une expérience très stressante;
   b. ne me cause aucun problème.

7. Le sexe oral
   a. m'excite;
   b. me terrifie.

8. Je me sens nerveux
   a. d'amorcer des relations sexuelles;
   b. sans raison quand il s'agit d'une personne de sexe opposé.

9. Quand je rencontre une personne qui m'attire
   a. je fais sa connaissance;
   b. je me sens nerveux.

10. Quand j'étais plus jeune
    a. j'avais hâte de m'engager dans des relations sexuelles;
    b. je me sentais nerveux à l'idée d'avoir des relations sexuelles.

11. Quand des gens flirtent avec moi
    a. je ne sais pas quoi faire;
    b. je flirte à mon tour.

12. Le sexe en groupe
    a. me traumatiserait;
    b. serait peut-être intéressant.

13. Si à l'avenir je commettais l'adultère
    a. je me ferais sans doute prendre;
    b. je ne me sentirais pas coupable.

14. Je
    a. me sentirais gêné de raconter une blague cochonne dans un groupe des deux sexes;
    b. raconterais une blague cochonne si elle était drôle.

15. Les blagues cochonnes
    a. me mettent mal à l'aise;
    b. me font souvent rire.

16. Quand je me réveille après un rêve à caractère sexuel
    a. je me sens frais et dispos;
    b. je me sens tendu.

17. Quand j'ai des désirs sexuels
    a. je ne sais pas quoi faire;
    b. je fais quelque chose pour les satisfaire.

18. Si à l'avenir je commettais l'adultère
    a. cela ne concernerait que moi;
    b. je craindrais que ma femme ne le découvre.

19. Acheter un livre pornographique
    a. ne me gênerait pas;
    b. me rendrait nerveux.

20. Le sexe occasionnel
    a. vaut mieux que pas de sexe du tout;
    b. peut faire du mal à beaucoup de personnes.

21. Le sexe extraconjugal
    a. est parfois nécessaire;
    b. peut nuire à la carrière.

22. Les avances sexuelles
    a. me laissent tendu;
    b. sont bienvenues.

23. Quand j'ai des relations sexuelles
    a. je suis satisfait;
    b. je me demande si je serai découvert.

24. Quand je parle de sexe devant des personnes des deux sexes
    a. je me sens nerveux;
    b. je m'excite parfois.

25. Si je flirtais avec quelqu'un
    a. je m'inquiéterais de sa réaction.
    b. j'aimerais ça.

SOURCE: Louis H. Janda et Kevin F. O'Grady, « Development of a Sex Anxiety Inventory », *Journal of Consulting and Clinical Psychology*, 1980, p. 169-175.

Comment marquer les points
de l'inventaire de l'anxiété sexuelle

1. b	10. b	19. b
2. a	11. a	20. b
3. a	12. a	21. b
4. b	13. a	22. a
5. a	14. a	23. b
6. a	15. a	24. a
7. b	16. b	25. a
8. a	17. a	
9. b	18. b	

Comment vous comparez-vous à d'autres?

Résultat		Pourcentage
Hommes	*Femmes*	
2	6	15
5	9	30
8	12	50
11	15	70
14	18	85

À propos de l'anxiété sexuelle

Je désirais réaliser cette échelle avec mon étudiant de troisième cycle, Kevin O'Grady, afin de mieux saisir les distinctions possibles entre la culpabilité et l'anxiété. Le psychologue Donald Mosher a élaboré une mesure de la culpabilité sexuelle qui a été largement utilisée en recherche. Mais avant d'élaborer plus avant sur l'anxiété sexuelle, je vais développer un peu sur la culpabilité. On peut considérer la culpabilité sexuelle comme la tendance à s'abstenir de s'engager dans des activités sexuelles par peur de se sentir mal d'avoir violé ses propres normes de conduites. Comme on peut s'y attendre, les gens qui souffrent de beaucoup de culpabilité se livrent à moins d'expériences sexuelles que les gens qui en ont peu. Mais même les gens coupables se livrent à des activités sexuelles, et contrairement à ce qu'on serait porté à croire, leur culpabilité les empêche apparemment d'agir d'une façon responsable dans leurs relations sexuelles. Par exemple, les jeunes femmes ayant un sentiment de culpabilité très élevé attendent beaucoup plus longtemps que les femmes peu culpabilisées pour commencer à utiliser des contraceptifs. Les jeunes gens qui se sentent coupables trouvent tellement difficile d'aller acheter une boîte de condoms dans une pharmacie qu'ils préfèrent prendre la chance de mettre enceinte leur partenaire ou de contracter une MTS. La culpabilité n'est jamais assez forte pour empêcher les gens d'exprimer leur sexualité, mais elle les empêche apparemment d'en discuter ouvertement avec leur partenaire. Et si des partenaires ne communiquent pas ouvertement à propos de leur relation, ils vont très probablement avoir des comportements à risque.

Kevin O'Grady et moi avons constaté qu'il y a beaucoup de gens qui pensent que la sexualité n'est ni honteuse ni immorale, mais qui ne semblent pas moins avoir une vie sexuelle tronquée. Peut-être, avons-nous pensé, ne ressentent-ils pas de culpabilité envers le sexe, mais qu'ils souffrent de beaucoup d'anxiété par rapport à des questions de sexualité. La différence entre culpabilité et anxiété se discerne dans le tout premier item de cette échelle, qui traite du sexe extra-conjugal. L'échelle de culpabilité de Mosher contient un item semblable, mais les gens qui se sentent coupables affirment qu'ils éviteraient une aventure parce que cela est mal et qu'ils se sentiraient fautifs. Ce que ces gens pensent d'eux-mêmes est beaucoup plus important que ce que les autres pensent d'eux. Les gens anxieux éviteraient également de s'engager dans une aventure, mais ce serait parce qu'ils s'inquiéteraient de ce qui pourrait leur arriver. Les gens anxieux ne s'inquiètent pas du bien ou du mal, mais s'inquiètent apparemment de la possibilité d'être découverts par leur conjoint ou de perdre leur emploi. Ainsi, les gens coupables et les gens anxieux peuvent se comporter de la même manière, mais pour des raisons très différentes.

Un mot encore sur la relation entre culpabilité et anxiété : ils ont tendance à aller ensemble. Tandis que certaines personnes ressentent très peu de culpabilité sexuelle et beaucoup d'anxiété sexuelle (le contraire étant aussi vrai), la plupart des gens qui se sentent coupables à propos du sexe ont aussi tendance à être anxieux à ce sujet. Mais qu'en est-il de vous ? Comment votre anxiété sexuelle se compare-t-elle à votre culpabilité sexuelle ? Une implication importante et éminemment pratique de la culpabilité et de l'anxiété est que les gens qui souffrent de l'une et de l'autre de façon marquée auront davantage tendance à souffrir de dysfonctions sexuelles. Il faudrait bien un livre entier pour traiter de ce sujet, mais je ne vais donner qu'une différence importante entre les gens qui obtiennent une note très élevée et une note très faible sur cette échelle : ils perçoivent différemment leurs réactions corporelles à la stimulation sexuelle. Prenons le cas d'un homme porté à devenir très anxieux lorsqu'il s'agit de sexe. Il sort avec une femme depuis un certain temps et le moment fatidique est venu : ils se retrouvent tous les deux pour la première fois dans la chambre à coucher de l'homme et elle déboutonne lentement sa chemise. Notre sujet constate que son cœur bat la chamade et ses paumes sont tellement moites qu'il les essuie sur le drap pour ne pas tacher la blouse de sa partenaire. Il ne peut faire autrement que de constater ces réactions et il se dit en lui-même : « Mon Dieu, je suis terrorisé. Ça va être un désastre. Je ne vais jamais y arriver. » Notre deuxième sujet, qui a un faible taux de culpabilité et d'anxiété, se retrouve dans la même situation et ressent les mêmes phénomènes corporels. Mais il se dit : « Mon Dieu, je n'ai pas été excité comme ça depuis une éternité. Ça va être fantastique ! » Il est probable que ces deux hommes réalisent des fantasmes, mais les paroles du premier peuvent mener à une dysfonction sexuelle.

Si vous avez obtenu une note faible dans ce test, vous pouvez probablement jouir de votre sexualité et agir de manière responsable. Si votre note se situe au-dessus de 85 %, cela ne veut pas dire que vous avez une pathologie ; l'échelle a été conçue pour des adultes normaux. Mais vous pourriez vous assurer que vous ne vous laissez pas aller à des fantasmes. Et, par-dessus tout, ne laissez pas votre nervosité vous empêcher de parler avec votre partenaire de contraception et de pratiques sexuelles sécuritaires.

ÊTES-VOUS SENSUEL ?

L'ÉCHELLE DE LA SENSUALITÉ

INSTRUCTIONS : Pour les items suivants, répondez par « vrai »
ou « faux » selon que l'énoncé s'applique ou ne s'applique
pas de façon générale à vous.

Vrai Faux

❏ ❏ 1. Quand je m'adresse à des amis, j'aime être
près d'eux.

❏ ❏ 2. Somme toute, mon corps est assez sensible.

❏ ❏ 3. Je sens habituellement le frôlement du
tissu sur mon corps.

❏ ❏ 4. J'aimerais prendre un sauna.

❏ ❏ 5. On n'est jamais rassasié d'une bonne
chose.

❏ ❏ 6. Je pense que les gens devraient démontrer
de l'affection plus ouvertement.

❏ ❏ 7. J'aime quand un chat se frotte contre moi.

❏ ❏ 8. Je crois que les gens devraient vivre pour le
plaisir de l'instant.

Vrai Faux

❑ ❑ 9. Quand je danse, j'aime serrer mon / ma partenaire.

❑ ❑ 10. Quand je regarde une œuvre d'art, je l'observe avec attention.

❑ ❑ 11. J'aime flatter les chiens et les chats.

❑ ❑ 12. J'aime goûter à des mets exotiques et inhabituels.

❑ ❑ 13. Quand je regarde une peinture, j'essaie d'en saisir l'essence et la substance.

❑ ❑ 14. J'aime que des amis me touchent quand ils me parlent.

❑ ❑ 15. Mon sens olfactif est sensiblement supérieur à la normale.

❑ ❑ 16. Je sens parfois mieux les choses que les autres gens.

❑ ❑ 17. Dieu n'a pas mis les gens sur terre pour qu'ils s'amusent.

❑ ❑ 18. J'aime danser au son d'une musique lente et romantique.

❑ ❑ 19. D'après moi, plusieurs mets ont un goût identique.

❑ ❑ 20. Pour ce qui est des fleurs, elles se ressemblent toutes.

❑ ❑ 21. Je ne mets jamais de parfum ou d'eau de Cologne.

❑ ❑ 22. Quand je lis un bon roman, des sentiments profonds me submergent parfois.

Vrai Faux

❏   ❏   23. Quand je projette un bon repas, je peux presque goûter aux mets rien qu'à y penser.

❏   ❏   24. J'aime le frôlement d'une douce brise sur ma peau.

❏   ❏   25. J'aime m'étendre au soleil.

❏   ❏   26. C'est un péché d'avoir trop de plaisir.

❏   ❏   27. J'aime prendre un long bain chaud.

❏   ❏   28. Quand je suis seul, j'aime porter aussi peu de vêtements que possible.

❏   ❏   29. J'aime parfois dormir nu.

❏   ❏   30. J'aime l'odeur de l'encens et des bougies parfumées.

❏   ❏   31. Je préfère les lignes courbes et fluides aux lignes droites et aux angles aigus.

❏   ❏   32. La musique d'un grand orchestre m'emballe.

❏   ❏   33. J'aime l'odeur du gazon fraîchement coupé.

❏   ❏   34. J'aime porter des tissus souples comme le nylon ou la soie.

❏   ❏   35. J'aime les mets succulents et juteux.

❏   ❏   36. Je pense qu'il serait agréable de se baigner tout nu.

❏   ❏   37. Je m'arrête rarement au parfum des fleurs.

Source: Jerry Fulk, «The Development of a Scale to Measure Sensuality», mémoire de licence, 1994, Old Dominion University. Publié avec l'autorisation du détenteur des droits.

Comment marquer les points?

1. V	14. V	27. V
2. V	15. V	28. V
3. V	16. V	29. V
4. V	17. F	30. V
5. V	18. V	31. V
6. V	19. F	32. V
7. V	20. F	33. V
8. V	21. F	34. V
9. V	22. V	35. V
10. V	23. V	36. V
11. V	24. V	37. F
12. V	25. V	
13. V	26. F	

Comment vous comparez-vous à d'autres?

Résultat		Pourcentage
Hommes	*Femmes*	
17	21	15
20	24	30
23	27	50
26	30	70
29	33	85

À propos de la sensualité

L'une des grandes joies d'enseigner au niveau universitaire est de côtoyer des étudiants qui vous poussent à envisager la réalité d'une manière différente. Jerry Fulk, qui a conçu cette Échelle de la sensualité, est l'un de ces étudiants. Il suivait mon cours sur la psychologie de la sexualité, et à l'issue du semestre il me demanda s'il pouvait entreprendre un projet de recherche sous ma supervision. J'ai accepté d'emblée, étant donné qu'il était un de mes plus brillants étudiants, mais quand il me révéla la nature de son projet, je me suis demandé si je n'avais pas commis une erreur. Ayant consulté des revues professionnelles, il conçut une série d'échelles mesurant une variété d'aspects de la sexualité humaine, sans pouvoir en trouver une mesurant la caractéristique qui l'intéressait, soit la sensualité. C'était bien joli, mais quand il me dévoila certains des items censés rendre compte de cette dimension, je me dis que son projet allait être une perte de temps. Après tout, qu'est-ce que des lignes courbes, des peintures ou du gazon fraîchement coupé avaient bien à voir avec la sensualité? Mais ouvert comme je suis, je lui dis d'y aller. J'allais le soutenir dans son projet. Au moins, pensai-je, il allait connaître les difficultés de concevoir des tests de personnalité.

Jerry travailla d'arrache-pied. Il élabora un ensemble original de 80 items, fit remplir la formule préliminaire du test à plus de 100 personnes et fit ressortir les données statistiques correspondantes.

Quand je vis les résultats, je n'en croyais pas mes yeux. Les données démontraient éloquemment que la plupart des items sur les lignes courbes, l'observation de tableaux, le chien qu'on flatte et tout le reste mesuraient effectivement des éléments importants. Des items comme «Je peux être sexuellement excité assez facilement», que j'exigeai qu'il incorpore à son test puisqu'ils étaient plus directement associés à la sensualité, s'avérèrent peu utiles et furent donc éliminés de la version finale.

Notre recherche révéla que cette échelle pouvait dévoiler diverses caractéristiques du comportement sexuel. Ainsi, sur cette échelle, les marques sont reliées à l'âge auquel on a fait l'amour pour la première fois, la fréquence des relations sexuelles, le temps moyen des relations sexuelles, et le degré de satisfaction que l'on retire à toucher et caresser l'autre. Rien de surprenant à tout cela. Mais l'aspect le plus intéressant fut de constater que le pointage sur l'échelle n'est pas relié à la fréquence des fantasmes sexuels, la fréquence des masturbations, l'importance en général de la sexualité ou l'importance en général d'atteindre un orgasme.

En rétrospective, tout devient clair. En matières de sensualité et de sexualité, il y a dans le monde deux genres de personnes. Au niveau moins élevé, il y a ceux qui peuvent avoir de fortes pulsions sexuelles mais qui ne sont pas très intéressés à jouir de leurs rencontres sexuelles. Pour ces hommes et ces femmes, le sexe est d'abord un moyen de dépenser l'énergie sexuelle accumulée. Il n'est donc pas étonnant que leurs contacts sexuels soient relativement peu prolongés. Les gens qui ont une grande sensualité sont plus intéressés au processus sexuel qu'au but final. Ils apprécient les plaisirs simples de toucher et de caresser peut-être autant que le plaisir plus intense de l'orgasme. Ils veulent faire perdurer la relation aussi longtemps que possible.

Les items de l'échelle indiquent que ce trait de sensualité ne s'applique pas qu'au sexe, mais qu'il s'applique à nos cinq sens et affecte nos réactions dans diverses situations. Les gens sensuels apprécient les stimulations tactiles de tous genres. Ils aiment que les gens les touchent en conversant, ils aiment caresser chiens et chats et ils aiment la sensation de la soie sur leur peau. Ces gens sont sensuels à table. Ils aiment les mets inusités, exotiques et succulents. Ils prennent plaisir à sentir, ils aiment l'odeur du gazon fraîchement coupé, et ils aiment se mettre du parfum et de l'eau de Cologne. Les items qui concernent l'observation des œuvres d'art indiquent que ces personnes peuvent satisfaire leur besoin d'expériences sensuelles par le regard. Et même l'ouïe a sa part à jouer, comme le suggère l'item où on lit : « La musique d'un grand orchestre m'emballe. »

Ces items soulignent un aspect pratique. Ainsi on pourrait procéder à l'évaluation d'amoureux éventuels en les invitant à un restaurant inusité, un zoo où on peut flatter les animaux, une galerie d'art ou à un concert symphonique. Leurs réactions peuvent fournir une indication de leur comportement dans un environnement plus intime.

Alors que les gens peu sensuels peuvent sembler tristes et austères, la sensualité peut constituer un problème pour certaines personnes. Les personnes sensuelles sont assez hédonistes. Elles apprécient les plaisirs de la vie et croient qu'on n'est jamais rassasié des bonnes choses. Leurs penchants peuvent les mener à des comportements sexuels irresponsables et une propension à faire usage de substances hallucinogènes. Car on peut aussi abuser des bonnes choses.

Personne, j'en suis sûr, ne va se surprendre qu'en moyenne, les femmes ont de meilleures notes que les hommes sur l'échelle de la sensualité. Tout spécialiste engagé dans une pratique témoignera que les femmes apprécient les moments qui précèdent la relation ainsi que des préliminaires élaborés avant la relation sexuelle. Bien que certains hommes soient très sensuels, ils sont en général portés à passer immédiatement à l'acte. Somme toute, ils ne sont guère intéressés aux préliminaires. Malgré les centaines de livres et d'articles donnant des conseils sur la manière de résoudre ce dilemme, je doute qu'il y ait une solution. Peut-être vaudrait-il mieux dans ce cas opter pour un compromis. Les hommes devraient faire un véritable effort pour satisfaire les besoins sensuels de leur partenaire au moins lors de certaines relations. Et les femmes feraient bien, au moins à l'occasion, de satisfaire les besoins de leur partenaire en sexe débridé et vite consommé.

VOTRE RELATION VOUS SATISFAIT-ELLE ?

L'ÉCHELLE D'ÉVALUATION RELATIONNELLE

INSTRUCTIONS : Indiquez quelle est la lettre qui, à votre avis, répond le mieux à la question :

1. Comment votre partenaire répond-il à vos besoins ?

A	B	C	D	E
Mal		Moyennement		Très bien

2. En général, êtes-vous satisfait de votre relation ?

A	B	C	D	E
Insatisfait		Moyennement satisfait		Très satisfait

3. Comment votre relation se compare-t-elle aux autres ?

A	B	C	D	E
Faible		Moyenne		Excellente

4. Combien de fois vous êtes-vous dit que vous n'auriez pas dû vous engager dans cette relation ?

A	B	C	D	E
Jamais		Moyennement souvent		Très souvent

5. Jusqu'où votre relation a-t-elle répondu à vos attentes originales?

A	B	C	D	E
Minimalement		Moyennement		Pleinement

6. Comment aimez-vous votre partenaire?

A	B	C	D	E
Peu		Moyennement		Beaucoup

7. Combien de problèmes affectent votre relation?

A	B	C	D	E
Très peu		Un nombre moyen		Des quantités

Source: Susan S. Hendrick, «A Genetic Measure of Relationship Satisfaction», *Journal of Marriage and the Family*, vol. 50, 1988, p. 93-98. Publié avec l'autorisation du détenteur des droits.

Comment marquer les points de l'Échelle d'évaluation relationnelle

Pour déterminer votre résultat, utiliser la table d'équivalence ci-dessous:

A = 1 point
B = 2 points
C = 3 points
D = 4 points
E = 5 points

Les items 4 et 7 se notent en sens inverse; pour ceux-ci seulement, soustrayez votre note de 6 puis additionnez les résultats des sept items.

Comment vous comparez-vous aux autres?

Résultat	Pourcentage
23	15
26	30
29	50
32	70
35	85

À propos de la satisfaction dans les relations

Ne vous laissez pas tromper par la brièveté de cette échelle. Conçue par le Dr Susan Hendrick de la Texas Tech University, elle est à la fois valable et efficace. Le Dr Hendrick a constaté qu'elle donnait des résultats assez identiques à un test très utilisé offert dans le commerce et portant sur la satisfaction conjugale. Son échelle a pu déterminer plus précisément que le test commercial les couples universitaires qui allaient toujours être unis au semestre suivant. C'est dans les petits pots qu'on trouve les meilleurs onguents... même en psychologie.

Si vous poursuivez une relation depuis un ̄certain temps, les normes risquent peut-être de vous irriter. Le Dr Hendricks a fait appel à des étudiants universitaire disant être «amoureux», en tant que groupe de normalisation. Comme la majorité de ces conjoints étaient engagés dans une relation depuis assez peu longtemps, ils percevaient sans doute leurs vis-à-vis à travers le filtre de l'amour. Ces normes fournissent une bonne base de comparaison si votre relation est relativement récente, mais si vous êtes engagé dans une relation depuis plusieurs années, considérez-les comme une simple indication. Vous trouveriez peut-être plus instructif de comparer vos réponses avec celles de votre conjoint. Le Dr Hendricks rapporte que des conjoints ayant vécu ensemble (durant au moins un semestre) avaient tendance à obtenir des résultats assez semblables.

Pourquoi un inventaire de satisfaction relationnelle dans la section portant sur la sexualité ? La réponse est sans doute évidente : il y a un lien clair entre la satisfaction dans la relation et la satisfaction sexuelle. Diverses études ont donné des résultats un peu divergents, mais tous les chercheurs s'entendent pour dire que les hommes et les femmes satisfaits de leur relation et affectivement près de leur conjoint ont une plus grande propension à être satisfaits sexuellement. Les hommes qui se considèrent heureux en mariage ont plus tendance que ceux qui se considèrent malheureux à percevoir leurs relations sexuelles comme très agréables. Et les femmes heureuses en mariage ont davantage de propension à atteindre l'orgasme que celles qui ne le sont pas. Il y a toutefois un nombre substantiel d'hommes et une minorité non négligeable de femmes qui apprécient beaucoup leurs rapports sexuels même s'ils sont insatisfaits en général de leur relation.

Vous serez peut-être surpris d'apprendre qu'il n'existe pas de lien très prononcé entre la fréquence des rapports sexuels et la satisfaction conjugale. Dans une étude intéressante, les chercheurs ont considéré le lien entre le nombre de discussions et la fréquence des rapports sexuels par rapport à la satisfaction conjugale. Contrairement à ce qu'on pourrait penser, ni le nombre de discussions ni la fréquence des rapports sexuels n'avaient de lien avec la satisfaction dans la relation. Mais la fréquence des rapports sexuels moins le nombre de discussions donnait un indice de la satisfaction conjugale. La morale de l'histoire est évidente. Si vous avez une discussion sérieuse avec votre conjoint ou conjointe, assurez-vous de faire l'amour plusieurs fois ensemble avant de recommencer.

Si vous trouvez que votre vie sexuelle est chambranlante, ce lien entre la satisfaction dans la relation et la satisfaction sexuelle aura des implications importantes. Des douzaines, voire des centaines de livres donnent des conseils aux couples sur la façon de revitaliser leur vie sexuelle, et une majorité d'entre eux traite particulièrement de techniques sexuelles. Nombre de ces conseils mettent l'accent sur la nouveauté. Ainsi, on conseille aux couples d'amorcer des activités nouvelles dans un nouvel environnement. On pourra leur dire de louer des films érotiques ou de discuter de leurs fantasmes entre eux. On pourra encourager les femmes à prendre l'initiative, de faire quelque chose d'inusité comme d'accueillir leurs maris drapées dans une simple pellicule de plastique transparent. Ces techniques peuvent s'avérer efficaces pour certains couples, du moins à court terme. Mais à la longue, même la nouveauté s'effrite.

Une solution plus durable consisterait à renforcer la qualité générale de la relation. Les résultats tendent à prouver que les femmes qui discutent de leurs sentiments avec leur conjoint auront davantage tendance à être satisfaites sexuellement. Et à mesure que l'homme vieillit, elles rapportent que leur désir sexuel est davantage lié au désir d'exprimer leur amour et leur affection plutôt que de satisfaire leurs pulsions physiques.

Les conjoints qui veulent améliorer leur vie sexuelle feraient donc bien de prendre plus de temps pour se parler.

Ils pourraient s'engager dans des activités (autres que sexuelles) qu'ils pourraient partager. Ils pourraient s'efforcer consciemment de verbaliser leurs sentiments d'amour, de respect et d'admiration réciproques. S'ils se plaisent dans leur relation et qu'ils se perçoivent comme heureux en compagnie de leur conjoint, ils ont des chances de se plaire également dans leurs rapports sexuels.

Même si le désir sexuel semble urgent et irrésistible quand on a 20 ans et qu'on cherche l'âme sœur, il est en fait assez fragile. Les sexologues constatent que le désir sexuel refoulé est devenu le problème le plus courant chez les hommes et les femmes en quête de thérapie. Il n'y a jamais de réponse simple, mais si la vie sexuelle d'un couple est devenue fastidieuse, il sera très difficile de remédier à la situation à moins de ramener un sentiment de sérénité générale dans le couple.

CONCLUSION

Comme j'ai dit au début de ce livre, j'espère qu'après avoir
complété ces tests, vous aurez appris quelque chose d'utile
sur vous-même. Puisqu'ils constituent une «autoévaluation», il est probable que vous ayez eu une assez bonne idée
de vos résultats avant même de les avoir complétés, mais ça
peut être utile d'avoir une idée de ce que vous valez par
rapport aux autres.

J'imagine que la plus grande utilité de ce livre est de
vous aider à concentrer vos idées. Par exemple, vous vous
êtes peut-être aperçu que vous vous sentiez mal à l'aise de
vous attendre à une promotion, mais que vous n'avez jamais
pu vous avouer à vous-même la raison de ce phénomène.
Peut-être que l'Échelle du phénomène de l'imposteur ou
l'Échelle de la crainte de la réussite vous ont donné une
idée de la manière d'éliminer cet obstacle. Peut-être aussi
que l'Inventaire de la dépendance interpersonnelle vous a
aidé à mieux comprendre les conflits que vous avez eu avec
votre compagne ou votre compagnon.

La deuxième utilité de ces tests est qu'ils vous ont
probablement permis de prendre conscience de traits
auxquels vous n'aviez jamais songé auparavant. L'Échelle de

l'intériorité, de la chance et des dominants et l'Échelle de la recherche de sensations, pour ne nommer que ces deux-là, mesurent des caractéristiques qui ont une incidence importante sur nos vies, mais qui sont rarement abordées hors du cadre psychologique universitaire. J'espère que vous avez appris des choses sur vous-même dont vous n'étiez pas conscient auparavant.

Finalement, si vous ne l'avez déjà fait, je vous demande de passer ces tests avec l'élu(e) de votre cœur. Je déteste parler comme un psychologue, mais mieux vous connaîtrez quelqu'un, meilleure sera votre relation avec cette personne. Comme la plupart d'entre nous se perçoivent différemment que les autres nous perçoivent, vous pourriez arriver à mieux connaître votre compagnon ou votre compagne si vous complétez les tests comme il ou elle le ferait d'après vous, puis comparez vos résultats à ceux qu'il ou elle aurait obtenu.

Comme c'est important, permettez-moi de répéter un passage de l'introduction. Les tests de ce livre ont presque tous été conçus en fonction d'une population normale. Or même si certains résultats vous déçoivent, rien dans ce livre ne peut vous porter à conclure que vous souffrez d'un quelconque problème psychologique sérieux. Bien sûr, ils peuvent souligner certaines lacunes que vous auriez avantage à régler, mais aucun élément ici ne doit vous porter à désespérer. Je ne vous ferais jamais un tel affront.

J'espère que vous avez aimé passer ces tests autant que j'ai aimé les concevoir à votre intention. Bonne chance dans les changements que vous désirez apporter dans votre existence. Puissiez-vous vivre une vie heureuse et gratifiante.

TABLE DES MATIÈRES

TROISIÈME PARTIE

VIVRE EN SOCIÉTÉ

Québec, Canada
2000